KB067133

NEW
서울대 선정
인문고전
60선

26
존 로크 정부론

NEW 서울대 선정 인문 고전㉖
만화 존 로크 정부론

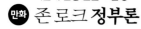

개정 1판 1쇄 인쇄 | 2019. 8. 14
개정 1판 1쇄 발행 | 2019. 8. 21

이근용 글 | 주경훈 그림 | 손영운 기획

발행처 김영사 | 발행인 고세규
등록번호 제 406-2003-036호 | 등록일자 1979. 5. 17.
주소 경기도 파주시 문발로 197 (우10881)
전화 마케팅부 031-955-3100 | 편집부 031-955-3113~20 | 팩스 031-955-3111

ⓒ 2019 손영운, 이길우
이 책의 저작권은 저자에게 있습니다. 저자와 출판사의 허락 없이 내용의 일부를 인용하거나 발췌하는 것을 금합니다.

값은 표지에 있습니다.
ISBN 978-89-349-9451-0
ISBN 978-89-349-9425-1(세트)

좋은 독자가 좋은 책을 만듭니다. 김영사는 독자 여러분의 의견에 항상 귀 기울이고 있습니다.
독자의견전화 031-955-3139 | 전자우편 book@gimmyoung.com
홈페이지 www.gimmyoungjr.com | 어린이들의 책놀이터 cafe.naver.com/gimmyoungjr

이 도서의 국립중앙도서관 출판예정도서목록(CIP)은 서지정보유통지원시스템 홈페이지(http://seoji.nl.go.kr)와 국가자료종합목록시스템(http://www.nl.go.kr/kolisnet)에서 이용하실 수 있습니다. (CIP제어번호 : CIP2018042947)

어린이제품 안전특별법에 의한 표시사항
제품명 도서 제조년월일 2019년 8월 21일 제조사명 김영사 주소 10881 경기도 파주시 문발로 197
전화번호 031-955-3100 제조국명 대한민국 ⚠주의 책 모서리에 찍히거나 책장에 베이지 않게 조심하세요.

미래의 글로벌 리더들이 꼭 읽어야 할 인문고전을 만화로 만나다

NEW 서울대 선정 인문고전 60선

26

존 로크 정부론

이근용 글 · 주경훈 그림

주니어김영사

'서울대 선정 인문고전 50선'이 국민 만화책이 되기를 바라며

40여 년 전, 제가 살던 동네 골목 어귀에는 아이들에게 만화책을 빌려 주는 가게가 있었습니다. 땅바닥에 검정색 비닐을 깔고 그 위에 아이들이 좋아하는 만화책을 늘어 놓았는데, 1원을 내면 낡은 만화책 한 권을 빌릴 수 있었지요. 저는 그곳에서 처음으로 만화책을 접했고, 만화책을 보면서 한글을 깨쳤습니다. 어쩌면 그때 저는 만화가 가진 힘을 깨우쳤다고 할 수 있습니다.

이렇게 만화책으로 시작한 책과의 인연으로 저는 책을 좋아하게 되었고, 중학교 때는 도서반장을 맡게 되었습니다. 약 10만 권의 장서를 자랑하는 학교 도서관을 매일 밤 10시까지 지키면서 참 많은 책을 읽었습니다.

또래의 아이들이 지겹게만 여기던 헤밍웨이의 《노인과 바다》를 두 손에 땀을 쥐며 네 번이나 읽었습니다. 또한 헤르만 헤세의 《데미안》을 읽으며 질풍노도의 시절을 달랬고, 김래성의 《청춘 극장》을 밤새워 읽느라고 중간고사를 망치기도 했습니다.

당시 저의 꿈은 아주 큰 도서관을 운영하는 사람이 되어 하루 종일 책을 보면서 사람들에게 필요한 책을 쓰는 작가가 되는 것이었습니다. 이제 저는 한 가지 더 큰 꿈을 가지려고 합니다. 그것은 우리나라의 아이들이 꿈과 위로를 얻고, 나아가 인생을 성찰하게 해 줄 수 있는 멋진 만화책을 만드는 일입니다.

'서울대 선정 인문고전 50선'은 서울대학교 교수님들이 추천한 청소년들이 꼭 읽어야 할 동서양 고전 중에서 50권을 골라 만화로 만든 것입니다. 이 책들은 그야말로 인류 문화의 금자탑이라고 할 수 있는 것이지만, 사실 제목만 알고 있을 뿐 쉽사리 읽을 엄두가 나지 않는 책들입니다.

그것을 수십 명의 중 · 고등학교 선생님들과 전공 학자들이 밑글을 쓰고, 또 수십 명의 만화가들이 고민에 고민을 거듭하여 쉽고 재미있게, 그러면서도 원서의 내용을 정확하게 전달할 수 있도록 노력하여 만들었습니다.

그래서 '서울대 선정 인문고전 50선'이 어린이와 청소년뿐만 아니라 부모님들이 함께 봐도 좋을 만화책이라고 자부합니다. 국민 배우, 국민 가수가 있듯이 만화로 읽는 '서울대 선정 인문고전 50선'이 '국민 만화책'이 되길 큰마음으로 바랍니다.

손영운

근대 민주주의의 역사를 알고 싶다면…

학교에서 민주주의의 역사를 배우다 보면 꼭 등장하던 나라와 인물들이 있습니다. 그리스의 아테네, 영국, 프랑스, 미국…… 그리고 로크, 루소, 몽테스키외 등등. 그러나 정작 그 나라가 왜 등장하는지, 그들이 어떤 역할을 했는지 정확히 이해하기란 쉽지 않았습니다.

대학에서도 마찬가지였습니다. 고전을 읽어보라는 이야기를 많이 들었고, 실제로 몇 권 읽어도 보았지만 읽고 나면 남는 것은 '역시 어렵고 지루하구나.' 라는 느낌뿐이었습니다. 그때는 시험을 위해서 읽은 경우가 많았고 그래서 시험이 끝나면 기억에서 싹 사라져 버렸습니다.

고전 읽기는 학교에서 '가르치는 일' 을 시작하면서 더욱 절실해졌습니다. 학생들에게 무언가를 설명하다가 막히는 부분은 항상 고전과 관련된 부분이었고, 어쩔 수 없이 다시 고전을 찾게 되었습니다. 하지만 여전히 고전은 어려웠습니다. 내가 이렇게 어려운데 학생들에게 읽으라고 하는 것은 미안하기조차 한 노릇이었습니다.

이처럼 나에게 고전은 안 좋은 기억이었습니다. 아마도 이 책을 쓰지 않았다면 지금도 그러했을 것입니다. 그래서라도 로크의 《정부론》을 다시 공부하게 된 것은 나에게 행운이었습니다.

대개 고전이 어려운 것은 우리의 지식이 네트워크처럼 연결되어 있지 않아서입니다. 자연과학이건 사회과학이건 책은 그 당시 사회 상황을 제대로 이해하지 않고서는 완전하게 이해하기 힘듭니다. 그런데 나는 지금까지 영국은 영국대로, 로크는 로크대로, 민주주의는 민주주의대로 그저 지식을 쌓아놓기만 하였지, 서로 연결시키지 못했기 때문에 고전이 어렵게만 느껴졌던 것입니다. 그것을 이제야 깨달았습니다.

이 책은 고전을 읽는 학생들이 나와 같은 실수를 반복하지 않도록 구성되었습니다. 로크가 살던 시대의 영국과 유럽의 상황과 그 당시의 상황 속에서 로크가 자유주의자가 될 수밖에 없었던 이유를 설명하였습니다. 그래야만 로크의 주장을 올바르고 비교적 쉽게 이해할 수 있기 때문입니다.

고전 읽기는 절대 쉽지 않은 일입니다. 그러나 포기하기엔 너무나 아쉬운 책들이기에 이 책을 통해 고전에 도전할 수 있는 용기를 가질 수 있기 바랍니다. 이 책은 여러분에게 고전에 대한 맛보기와 더불어 고전을 이해할 수 있는 관련 지식을 폭넓게 제시하고자 노력하였으며, 이런 노력이 여러분에게 제대로 전달되었으면 합니다.

이근용

'국민의 저항권'을 주장한 근대 민주정치의 선구자, 로크

존 로크는 브리스톨 근교의 링턴에서 출생한 영국의 철학자이자 정치사상가입니다. 그는 영국의 청교도 혁명과 왕정복고 및 명예혁명을 거치면서 절대왕정이 의회정으로 대체된 시민혁명기에 활동한 인물입니다.

그의 대표적인 저술인 《정부론》은 명예혁명이 있은 지 2년 후에 출판되었지만, 책 내용의 대부분은 명예혁명 이전에 쓴 것으로, 《정부론》 속에 들어 있는 자유와 민주주의 사상은 이미 혁명의 과정 속에 널리 퍼져 있었습니다.

존 로크 이전에는 국가의 최고 권력인 주권은 왕에게 있고, 그 권력은 신이 부여한 것이라는 생각이 지배적이었습니다. 하지만 로크에 의하면 왕도 인간이기 때문에 다른 인간과 마찬가지로 태어날 때부터 국가권력을 가지는 것은 아니라고 함으로써, 왕의 전제정치가 옳지 않다고 이야기했습니다. 정치권력은 어디까지나 '모든 개인의 동의'가 있어야 성립되는 것이며 자연 상태에서는 누구나 '완전한 자유와 똑같은 권리를 누리는 평등한 존재'라는 것입니다.

로크는 '개인의 권리를 통치자에게 전면 양도할 것'을 주장한 토머스 홉스와는 달리 '제한된 권력을 지닌 정부'를 이야기했습니다. 또한 부당한 전제 권력에 대해서는 국민들이 '저항할 수 있는 권리' 가 있다는 것을 주장한 부분이야말로 그를 '가장 위대한 민주주의 사상가' 로 자리매김하게 만들었습니다.

이런 그의 사상은 당시에는 매우 위험했던 것으로, 적대적인 세력에 의해 생명의 위협을 느낀 로크는 네덜란드로 망명하기도 합니다. (이 책의 대부분은 그곳에서 쓴 것입니다.)

처음으로 헌정민주정치와 자연권리를 주장한 《정부론》의 정치사상들은 영국을 넘어 미국과 프랑스 등에도 큰 영향을 미쳤습니다.

그의 자유주의 사상은 미국 독립선언에 잘 나타나 있는데, 이는 독립선언서를 기초한 미국의 국부 제퍼슨이 로크의 사상에서 큰 영향을 받았기 때문입니다.

로크의 사상이 프랑스에 끼친 영향은 더욱 대단해서, 프랑스의 인권선언 내용에도 그 사상이 그대로 나타나 있습니다. 그리고 이는 훗날 프랑스의 계몽주의 운동과 프랑스 대혁명 등의 사건에 큰 영향을 주었습니다.

현대 민주주의 제도를 이해하기 위해서 반드시 알아야 할 인물이 로크입니다. 이 책을 읽고 여러분이 우리나라 헌법에도 드러나 있는 로크와 그의 사상, 민주주의의 원리를 쉽게 이해하는 계기가 되었으면 좋겠습니다.

주경훈

| 차 례 |

기획에 부쳐 04

머리말 06

제1장 《정부론》은 어떤 책일까? 12

마그나 카르타(대헌장) 34

제2장 존 로크는 누구일까? 36

휘그당과 토리당 56

제3장 자연 상태에 대하여 58

성문법과 불문법 78

제4장 전쟁 상태에 대하여 80

토머스 홉스 96

제5장 소유권에 대하여 98

존 메이너드 케인스와 케인스 학파 114

제 6장 부권에 대하여 116

사회 계약론 삼총사 130

제 7장 정치 사회의 기원에 대하여 132

올리버 크롬웰 150

제 8장 정부의 목적과 형태 152

정부의 유형 170

제 9장 입법권의 범위에 대하여 172

다수결의 함정 192

제 10장 대권에 대하여 194

영국 의회 민주주의의 역사 208

제1장

《정부론》은 어떤 책일까?

너희들 혹시 《정부론》이라는 책 읽어 봤니?
서점에는 《통치론》, 《시민정부론》이라는 제목으로 나와 있답니다.
신간
그렇다면 '존 로크'라는 이름은 들어 봤어?
그럼 이런 단어는? 권력 분립, 시민의 자유, 법치주의, 사유 재산권 보장….
팍
아, 그건 들어 봤다!
바로 이런 유명한 개념의 뿌리가 되는 책이 존 로크가 쓴 《정부론》이야.
ESSAY
그러니까 이 책은 우리가 살고 있는 오늘날 정치 제도의 뿌리라고도 할 수 있지.
정치 제도

그래서 정치학자들은 우리가 살고 있는 지금의 시대를 '로크의 시대'라고 부르기도 한단다.
당연한 얘기야아아! 아아~
와
와
뭐야?
와아ㅡ.
Rock이 아니라 로크(Locke)라고….
300년 전 영국의 학자가 지금 우리의 삶을 설계했다니 정말 대단한 일이지?
우쭐
어흠~ 새삼 존경스럽지?
원래 로크의 《정부론》은 1부와 2부로 나뉘어 출판됐어.
1부는 당시 유행하던 왕권신수설에 대한 비판으로, 그 내용이 지금 시대와 맞지 않아.
제목. 로버트 필머 경과 그 일파의 잘못된 논거의 발견과 논박.
눈엣가시 같은 녀석!
제임스 2세
그래서 《정부론》이라고 하면 일반적으로 2부만을 가리키지.
바로 이 책.
시민정부의 참된 기원, 범위 및 그 목적에 관한 시론
《정부론》이 출판된 정확한 시기에 대해서는 말이 많아.
왜냐하면 존 로크는 자신이 쓴 책 대부분을 익명으로 출판했기 때문이지.
흠...
이번에는 어떤 이름으로 책을 낼까?

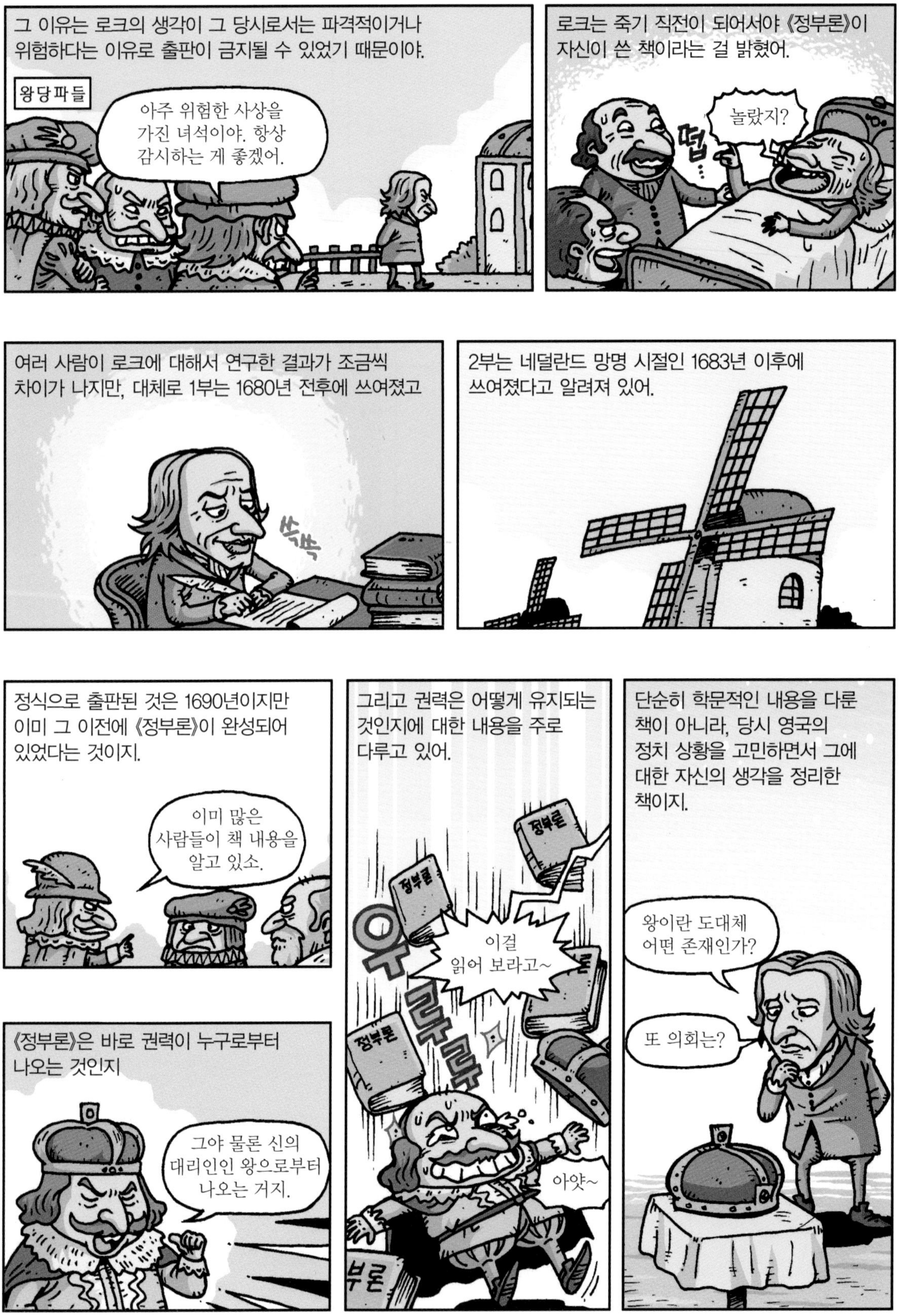
그 이유는 로크의 생각이 그 당시로서는 파격적이거나 위험하다는 이유로 출판이 금지될 수 있었기 때문이야.
왕당파들
아주 위험한 사상을 가진 녀석이야. 항상 감시하는 게 좋겠어.
로크는 죽기 직전이 되어서야 《정부론》이 자신이 쓴 책이라는 걸 밝혔어.
놀랐지?
떱…
여러 사람이 로크에 대해서 연구한 결과가 조금씩 차이가 나지만, 대체로 1부는 1680년 전후에 쓰여졌고
쓱쓱
2부는 네덜란드 망명 시절인 1683년 이후에 쓰여졌다고 알려져 있어.
정식으로 출판된 것은 1690년이지만 이미 그 이전에 《정부론》이 완성되어 있었다는 것이지.
이미 많은 사람들이 책 내용을 알고 있소.
《정부론》은 바로 권력이 누구로부터 나오는 것인지
그야 물론 신의 대리인인 왕으로부터 나오는 거지.
그리고 권력은 어떻게 유지되는 것인지에 대한 내용을 주로 다루고 있어.
정부론
정부론
이걸 읽어 보라고~
우르르
정부론
아얏~
부론
단순히 학문적인 내용을 다룬 책이 아니라, 당시 영국의 정치 상황을 고민하면서 그에 대한 자신의 생각을 정리한 책이지.
왕이란 도대체 어떤 존재인가?
또 의회는?

따라서 당시 영국의 시대 상황에 대해 이해하는 것이 필요해.
펄럭
특히 《정부론》을 올바로 이해하자면 '왕권신수설'을 둘러싼 영국의 상황을 먼저 알아야 하지.
제임스 1세
왕은 신 이외에 아무것에도 책임지지 않는다.
영국이 근대 민주주의가 시작된 나라라는 것은 잘 알고 있지?
그런데 왜 그런지 이유도 알아?
척
영국의 특징은 의회 제도가 잘 발달되어 있는 거야.
의회의 역사가 800년 가까이 되지.
800년 가까운 오랜 기간 동안 의회의 역할은 여러 가지 모습으로 변화했어.
물론 처음부터 의회가 지금과 같은 강한 힘을 가지지는 못했어.
의회의 등장은 '대헌장(마그나 카르타)'으로부터 시작된단다.
대헌장이란 1215년에 존 왕이 서명한 문서를 말해.
진짜 서명한 건 아니고, 옥새를 찍었지.
당시 존 왕은 국민의 지지도 받지 못했고, 신하들에게도 신뢰를 주지 못했어.
으으
다들 나를 바보 멍청이로 생각하는 것 같아.
수군 수군
그럼에도 불구하고 왕이라는 것만 믿고 프랑스와의 전쟁을 무리하게 추진하다가 실패하고 말아.
프랑스 안에 있는 영토를 되찾겠노라!

전쟁에서 패배한 존 왕은 그동안 불만에 가득 차 있던 신하들의 요구에 못 이겨 대헌장에 서명하게 되지.
쿵
대헌장의 중심 내용은 세금을 함부로 거두지 못하도록 하는 것이었어.
함부로 세금도 만들지 말고, 반드시 국민의 대표에게 허락을 받으십시오.
폐하께서 이 헌장을 위반할 경우, 25인의 귀족 평의회가 폐하께 전쟁을 선포할 권리를 갖게 됩니다. 아시겠죠?
팍
알다마다….
바로 이 내용에 근거해서 이후 영국은 의회가 성장하게 되지.
그렇다고 해서 영국의 왕들이 순순히 자신의 권력을 의회와 나누려고 한 것은 아니었어.
이거 나눠 먹기는 좀 아까운데….
다행히도 존 왕 이후 헨리 7세를 비롯하여 헨리 8세, 엘리자베스 여왕 등
헨리 7세
헨리 8세
엘리자베스 여왕
훌륭한 왕이 등장해 영국은 점차 국력을 키웠고 왕의 권한도 따라서 강해질 수 있었어.
짐은 국가와 결혼했다.

그러나 의회 역시 같이 성장했지.
왜냐하면 훌륭한 왕만 존재하지는 않았으니까.
내 책에서도 지적했듯, 훌륭한 지도자가 계속 이어진다면 반란이나 변화는 거의 일어나지 않아.
변화는 늘 부족하거나 욕심 많은 지도자가 나타나면서 시작된단다.
나는 어느 쪽?
전쟁은 왕권을 강화하는 좋은 수단이라고 할 수 있어.
왜냐하면 외국과의 전쟁이 일어나게 되면 국내의 문제는 잠시 가라앉게 되고, 왕을 중심으로 단결할 수밖에 없으니까.
그래서 당시 유럽에서는 이런저런 이유로 전쟁이 자주 일어났는데, 그 중 백년전쟁은 한 시대를 마무리하고 새로운 시대를 여는 중요한 의미를 가진단다.
와아-
와
딱
딱
백년전쟁(1337~1453)은 영국과 프랑스 사이에 벌어진 전쟁을 말해.
난 열다섯에 참전했는데…
비틀
비틀
왕이 여러 번 바뀌면서도 전쟁은 끈질기게 계속되었지.
에드워드 3세 → 리처드 2세 → 헨리 4세 → 헨리 5세
전쟁 초반에는 영국이 승승장구하면서 프랑스의 영토를 차지했지만
쿡
쿡
얏호, 신난다.
프랑스

결국 영국이 패하고 말았어.
두둥
오를레앙의 성처녀 잔다르크가 전세를 역전시켰다 이 말씀!
전쟁의 패배는 영국 왕의 권위를 떨어뜨렸고
이렇게 질 거면 빨리 지든가….
끄응
100년도 넘게 뭣 하러 싸운 거야?
전쟁에서 돌아온 귀족들은 자신의 생존을 걱정해야 하는 처지가 되었지.
이후 영국은 큰 혼란에 빠지게 된단다.
승리한 쪽은 남는 것이 있지만, 패배한 쪽은 그 여파가 다른 곳까지 미칠 수밖에 없는 것이 전쟁이야.
촤악~
어쨌든 살아남는 게 우선이다.
덜덜
영국의 혼란은 새로운 전쟁으로 이어졌지.
바로 장미전쟁(1455~1485)!
챙
챙
장미전쟁이라는 이름은 요크 가를 상징하는 문장이 하얀 장미였고, 랭커스터 가문의 문장이 붉은 장미였기 때문에 생긴 거야.
와아~
와아~
사실 장미전쟁은 귀족들만의 전쟁이었어.
왜냐하면 일반 국민은 두 가문 중 누가 왕이 되든 크게 상관이 없었거든.
헨리 6세
리처드
이거 안 놔?
잘들 논다~
싸우는 꼴 보기 싫엇!

반면 귀족들에게는 백년전쟁 이후에 불안해진 상황에서 누가 생존하느냐 하는 중요한 전쟁이었지.
적임자인 나를 제치고 왕의 자리에 앉다니.
크르르
결국 랭커스터 가문이 승리했지만, 귀족들에게 남은 것은 없었어.
우리 랭커스터 가문의 승리다. 요크 가의 딸과 결혼해 이 지루한 전쟁을 마무리해야겠다.
어쨌든 끝났다.
오히려 귀족 간의 전쟁으로 인하여 영국에서는 중세까지 가장 강력한 세력이었던 귀족의 수가 절반으로 줄어들게 되었고
흑
흑
인구 조사 나왔습니다. 가족이 모두….
남자들은 장미전쟁에서 모두 전사했답니다.
그 결과 왕이 그 어느 때보다 강력한 힘을 갖게 되었지.
당시엔 귀족이 사망하면 그 재산은 왕의 소유가 되었단다.
자, 성 안에 있는 물건은 남김 없이 옮기도록!
결국 장미전쟁 이후 등장한 헨리 7세는 절대 왕권을 휘두를 수 있게 되었어.
백년전쟁과 장미전쟁은 유럽 전체에 커다란 변화를 가져왔어.
왕권이 강해진 건 알고들 있겠지?
귀족끼리 싸우다가 세력이 줄어드는 바람에….
중세까지만 해도 영주를 중심으로 한 귀족들이 강력한 힘을 가지고 있었는데
왕 부럽지 않은 권력이다.
귀족
영주
귀족
귀족
귀족
귀족
전쟁을 통해 왕을 중심으로 한 권력 구도가 굳어지게 된 거야.

절대 왕권을 행사하는 왕들이 나타나게 되었지.
왕을 견제하는 귀족의 위치는 점점 쇠퇴하게 되었어.
이거 뭐 반항하려고 해도 수가 부족하니….
특히 영국에서는 귀족이 줄면서 새로운 세력이 나타나는데, 그 세력을 젠트리(Gentry)*라고 불렀단다.
'젠틀맨(Gentleman)'의 어원이 바로 젠트리죠.
후후

*젠트리 – 근대적 지주. 귀족으로서 위계는 없었으나 가문 휘장의 사용을 허가받은 자유민으로 중산 계급의 상층부를 말한다.

젠트리란 법률가나 상공업자와 같은 새로운 재산가들을 가리키는 말이야.
웅성
웅성
이들은 경제적으로 성장했을 뿐만 아니라 정치적으로도 활발하게 의회로 진출하면서 영국의 중요한 세력으로 등장하게 됐어.
귀족들은 전쟁으로 인하여 많은 것을 잃었지만, 오히려 영국은 서서히 민주주의가 발달하는 계기를 마련하게 되었지.
역사는 항상 한쪽이 기울어지면 다른 쪽이 떠오르게 마련이거든.
끼이익
헨리 7세로 시작된 튜더 왕조는 장미전쟁 이후로 강화된 왕권을 절대 왕권으로 발전시켰어.
튜더 왕조의 왕 가운데 영국민의 사랑을 가장 많이 받은 엘리자베스 1세는 영국의 해상 무역을 발전시켰고
필요에 따라 해적을 지원하기도 했어요.
호호….
크크
여왕님, 에스파냐의 상선은 저희들이 알아서 처리하겠습니다.

절약 정신을 발휘해 국민의 부담을 줄였거든.
사랑해요, 베스!
와
와아~
신이여 여왕을 지키소서~
와
와아
여왕님 만세~
통치를 잘하는 왕이 있으면 의회는 힘을 가지기 힘들어지는 법이지.
에엥~
우린 할 일이 없네….
그런데 왜 《정부론》 이야기를 하다 말고 영국 역사에 대한 이야기만 하냐고?
그건 당연해. 《정부론》을 이해하기 위해서는 영국 역사에 대해 알아야만 하니까.
《정부론》은 내 머리에서 나왔다기보다는 영국 역사 속의 경험을 바탕으로 쓴 책이니까.
자, 그럼 다시 역사로 돌아가 볼까?
훌륭한 왕이었던 엘리자베스 1세는 평생 결혼을 하지 않았어.
잠깐, 그럼 여왕이 죽은 다음에는 누가 왕이 되는 거야?
여왕님은 누구를 지명하실까?
여왕은 스코틀랜드의 왕인 제임스 6세를 왕으로 지명했지.
제임스 6세는 메리 스튜어트의 아들이야.
바로 스코틀랜드의 여왕이지.
메리 스튜어트는 제임스 5세의 딸이고, 제임스 5세는 마거릿 공주의 아들이고, 마거릿 공주는 바로 헨리 7세의 딸이고…
아, 그만 그만.
너무 복잡하잖아.

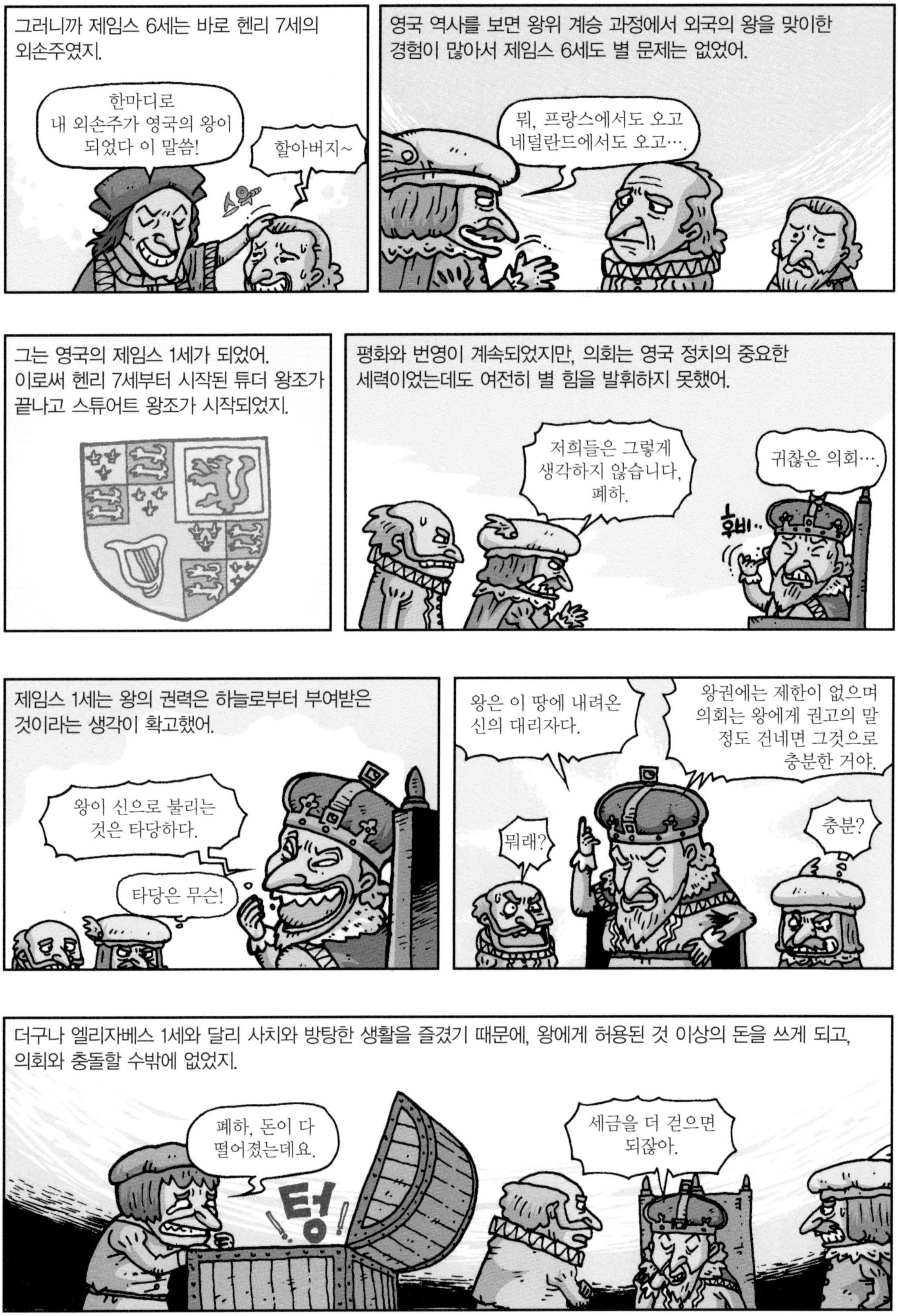
그러니까 제임스 6세는 바로 헨리 7세의 외손주였지.
한마디로 내 외손주가 영국의 왕이 되었다 이 말씀!
할아버지~
영국 역사를 보면 왕위 계승 과정에서 외국의 왕을 맞이한 경험이 많아서 제임스 6세도 별 문제는 없었어.
뭐, 프랑스에서도 오고 네덜란드에서도 오고….
그는 영국의 제임스 1세가 되었어. 이로써 헨리 7세부터 시작된 튜더 왕조가 끝나고 스튜어트 왕조가 시작되었지.
평화와 번영이 계속되었지만, 의회는 영국 정치의 중요한 세력이었는데도 여전히 별 힘을 발휘하지 못했어.
저희들은 그렇게 생각하지 않습니다, 폐하.
귀찮은 의회….
후비…
제임스 1세는 왕의 권력은 하늘로부터 부여받은 것이라는 생각이 확고했어.
왕이 신으로 불리는 것은 타당하다.
타당은 무슨!
왕은 이 땅에 내려온 신의 대리자다.
왕권에는 제한이 없으며 의회는 왕에게 권고의 말 정도 건네면 그것으로 충분한 거야.
뭐래?
충분?
더구나 엘리자베스 1세와 달리 사치와 방탕한 생활을 즐겼기 때문에, 왕에게 허용된 것 이상의 돈을 쓰게 되고, 의회와 충돌할 수밖에 없었지.
폐하, 돈이 다 떨어졌는데요.
텅
세금을 더 걷으면 되잖아.

이러한 충돌은 제임스 1세의 아들 찰스 1세가 왕위에 오르면서 폭발하게 돼.
찰스 1세 역시 아버지의 영향을 받아 왕의 권력은 하늘이 부여한 것이라고 생각했고
와… 왕이 신으로 불리는 것은 타, 타… 타당하다. 크하하하.
꽈당
아빠 말이 맞아…
의회는 이러한 왕의 태도를 못마땅하게 여기고 있었어.
그 아비에 그 아들이군.
말 더듬는 건 다르잖아?
패죄?
그런데 찰스 1세가 에스파냐와 전쟁을 일으키면서 의회와 본격적으로 충돌하게 되었지.
에, 에, 에스파냐에 저… 전쟁을 선포하노라.
우리 에스파냐의 무적함대를 뭘로 보는 거야?
겨우 잉글랜드 따위의 국왕이…
전쟁은 돈이 있어야 치를 수 있는데, 그러자면 의회를 소집해서 승인을 얻어야 했거든.
이거 의회에 손을 벌려야 돼, 말아야 돼?
대헌장에 명시되어 있기 때문에 어쩔 수 없는 일이지.
의회가 마음에 들지 않았던 찰스 1세는 의회를 가능한 한 소집하지 않으려고 했어.
호… 혼자서도 자, 잘할 수 있어….
하지만 자신이 일으킨 에스파냐와의 전쟁을 치를 자금이 필요했던 찰스 1세는 1628년 왕에 오른 후 두 번째 의회를 소집할 수밖에 없었어.
에스파냐와의 전쟁은 이미 실패한 것 아닌가요?
전쟁 비용과 외교 정책을 우리한테 설명하셔야죠?
이번엔 그냥 안 넘어갑니다.
끄응
괜히 소집했다.

찰스 1세의 오만한 태도와 잘못된 정책에 불만을 가지고 있던 의회는 이 기회를 놓치지 않았지.
이걸 잘 읽어 보시고 서명하세요.
척
권리청원
이게 뭔가?
의회는 찰스 1세에게 바로 '권리 청원'을 받아들이도록 한 거야.
권리청원의 주요 내용은 다음과 같아.
세금을 거두기 위해서는 의회의 동의를 받아야 한다.
그럼 내 맘대로 쓸 수가 없잖아?
그걸 방지하기 위한 거라니까….
법에 따르지 않고는 국민을 잡아 가두지 못한다.
얏호, 이젠 합법적인 재판을 받을 수 있다.
군대를 민가에 머무르지 못하게 하며 민간인은 군법으로 처벌하지 못한다.
궁시렁
그럼 어디에서 자?
평화 시에는 계엄령을 선포할 수 없다.
어서 옥새를 찍어요.
크으, 이거 말만 청원이지 권리 선언을 승인하라는 거잖아?
이는 왕도 법을 따라야 한다는 법치주의의 근본을 확인하는 중요한 내용을 담고 있었지.
신의 대리인이 인간이 만든 법을 따라야 하다니….
이 의회 녀석들, 내가 순순히 당할 줄 알아?
로크도 《정부론》에서 이러한 내용을 강조했단다.
밑줄 쫘악~

이것은 의회의 역할이 다시 강조되고 왕에 대한 의회의 강력한 견제가 문서로서 분명하게 확인된 중요한 내용이야.
대헌장 이후 의회가 구성되고 의회의 역할이 중요해졌지. 하지만 튜더 왕조를 거치면서 의회는 왕의 기세에 눌려 있었어.
왕 밑에서 찍소리도 못했다오.
그럴 수밖에 없는 것이 당시의 의회는 왕이 소집을 해야만 열리는 것이라서
자, 의회를 소집할 테니 모두 모여요~
딸랑
딸랑
3년에 한 번 열리기도 하고 5년에 한 번 열리기도 하는 등 아직 왕이 의회보다 우위에 있는, 제도적 약점을 가지고 있었어.
딸랑
딸랑
자네 못 보는 동안 팍 늙었군.
우리가 몇 년 만이지?
찰스 1세는 비록 권리청원을 받아들이기는 했으나, 이를 실천할 생각은 조금도 없었어.
의회의 동의는 신경 쓰지 말고 예전처럼 세금을 걷도록!
짐은 의회 녀석들에게 절대 끌려다니지 않겠다!!
이렇게 국왕 찰스 1세가 권리청원에 서명한 약속을 지키지 않자, 의회는 다시 다음과 같은 결의를 했지.
누구든지 의회의 승인을 얻지 않은 관세를 징수하는 자는 국가의 대적(大敵)으로 간주한다.
격노한 찰스 1세는 주동자 아홉 명을 체포해서 런던 탑에 감금시키고
부글
부글
감히 짐을 국가의 대적이라고 표현하다니….
의회를 해산해 버렸어.
모두 집으로 돌아가!
그 후로 무려 11년간 의회는 소집되지 않았다오!

그러나 이러한 찰스 1세의 독재는 영국 국민의 불만을 더욱 키웠고, 잘못된 정부에 대한 저항은 마침내 청교도 혁명을 불러오게 돼.
올리버 크롬웰
최초의 시민 혁명으로 기록될 겁니다.
청교도에 대한 설명은 로크의 생애를 다룰 때 좀 더 자세히 설명할게.
나오자마자 퇴장이네.
쑥스럽구만..
들어와!
의회를 없애 버린 찰스 1세는 1640년 어쩔 수 없이 다시 의회를 소집하게 된단다.
스코틀랜드와의 전쟁 비용을 충당하기 위해 어쩔 수 없이 소집을….
헐…
그러나 의회와의 충돌은 더욱 심해졌고, 국민들도 찰스 1세에게 등을 돌리면서
정부에 대한 불만부터 논의합시다.
전쟁 재개 반대!
딱—
필요할 때만 부르다니….
이럴 줄 알았지….
결국 찰스 1세는 처형되고 영국 역사상 전무후무한 공화정이 잠시 나타나게 되지. 공화정이란 왕이 없는 정부를 말해.
흥! 나 없이 잘 되나 보자!
비록 짧은 기간이었지만 청교도 혁명은 영국 국민의 생각을 바꾸어 놓았어.
잘못된 정부는 우리 손으로 바꿀 수도 있다.
로크도 이런 생각을 《정부론》에서 저항권이란 개념으로 표현했단다.
한국 헌법에도 '불의에 항거한 4 · 19 민주 이념을 계승하고' 라는 문구가 있더구나.
왕정 복고와 함께 왕으로 돌아온 찰스 2세는 안타깝게도 훌륭한 왕이 아니었어.
어, 잠깐. 등장하자마자 내게 망신을 줄 작정이야?
사치스러운 생활을 계속했으며
쾌락을 조금 추구한다고 해서 신이 그 사람을 파멸시키진 않을 것이다.

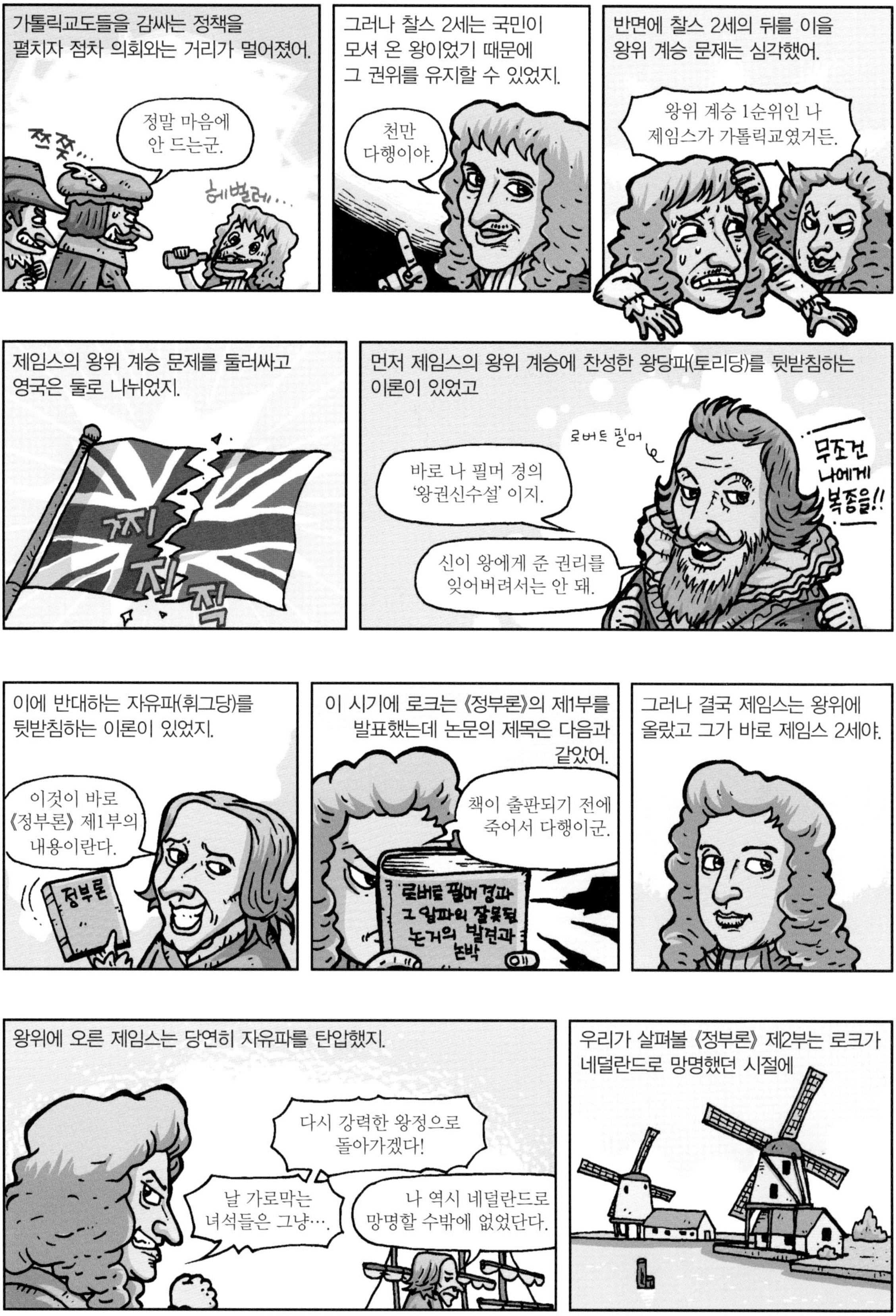
가톨릭교도들을 감싸는 정책을 펼치자 점차 의회와는 거리가 멀어졌어.
쯧쯧…
정말 마음에 안 드는군.
헤벌레…
그러나 찰스 2세는 국민이 모셔 온 왕이었기 때문에 그 권위를 유지할 수 있었지.
천만 다행이야.
반면에 찰스 2세의 뒤를 이을 왕위 계승 문제는 심각했어.
왕위 계승 1순위인 나 제임스가 가톨릭교였거든.
제임스의 왕위 계승 문제를 둘러싸고 영국은 둘로 나뉘었지.
찌 직 직
먼저 제임스의 왕위 계승에 찬성한 왕당파(토리당)를 뒷받침하는 이론이 있었고
로버트 필머
바로 나 필머 경의 '왕권신수설' 이지.
신이 왕에게 준 권리를 잊어버려서는 안 돼.
무조건 나에게 복종을!!
이에 반대하는 자유파(휘그당)를 뒷받침하는 이론이 있었지.
이것이 바로 《정부론》 제1부의 내용이란다.
정부론
이 시기에 로크는 《정부론》의 제1부를 발표했는데 논문의 제목은 다음과 같았어.
책이 출판되기 전에 죽어서 다행이군.
로버트 필머 경과 그 일파의 잘못된 논거의 발견과 논박
그러나 결국 제임스는 왕위에 올랐고 그가 바로 제임스 2세야.
왕위에 오른 제임스는 당연히 자유파를 탄압했지.
다시 강력한 왕정으로 돌아가겠다!
날 가로막는 녀석들은 그냥….
나 역시 네덜란드로 망명할 수밖에 없었단다.
우리가 살펴볼 《정부론》 제2부는 로크가 네덜란드로 망명했던 시절에

'시민 정부의 참된 기원, 범위 및 그 목적에 관한 시론' 이라는 제목으로 발표된 것이야.
이 사람 책은 항상 제목이 너무 길어.

많은 논란 속에 왕위에 오른 제임스 2세는 점점 국민의 신임을 잃어 갔고
어라, 내 인기가….

제임스 2세를 지지했던 왕당파들 역시 독재자 같은 모습에 등을 돌렸단다.
휙
뭐야, 이거 점점 불안해지는걸?
휙

결국 영국 의회는 1688년 네덜란드의 총독인 윌리엄 공에게 영국의 왕이 될 것을 제안했어.
내 별칭은 오라녜(오렌지) 공.
난 부인 메리.

이를 받아들인 윌리엄 공이 영국을 공격하자 제임스 2세는 별다른 저항도 못 해 보고 프랑스로 피신하게 돼.
그냥 프랑스로 가는 걸 눈감아 주자.
지방 귀족들과 믿었던 신하, 가족들까지 다 윌리엄 편이 되다니.

이제 영국은 새로운 왕을 맞이하게 된 셈이지.
윌리엄 3세
이를 '명예혁명'이라 부르죠.

명예혁명이란 한 방울의 피도 흘리지 않고 새로운 시대를 만들었다는 뜻이야.

로크도 이때 영국으로 돌아올 수 있었고, 그의 《정부론》도 정식으로 출판될 수 있었어.
네덜란드여 안녕~
드디어 영국은 새로운 시대가 시작됐다.

지금까지 이야기한 영국 역사의 가장 큰 특징은 의회와 왕의 충돌이야.
겁나면 먼저 세워라!
빠
아
앙
폐하께서 멈추시죠~
의회는 왕의 권력을 제한하고자 노력했고, 왕은 이런 의회를 억누르려고 했지.
명예혁명은 의회와 왕의 기나긴 충돌이 끝났음을 의미해.
의회가 인정한 윌리엄 공께서 오셨다!
히잉~
명예혁명이 성공하자 의회는 새로운 왕에게 권리청원을 제출하여 서명하게 만들었고
이것이 바로 법으로 선포되어 '권리장전'이 된단다.
권리장전은 이제 의회가 왕보다 우위에 있음을 확인한 것이고
왕도 의회가 정한 법에 의해서만 통치할 수 있다는 내용을 담고 있어.
바로 입헌 군주제의 시작을 의미하지.
로크의 《정부론》은 이러한 영국 역사의 전통을 담고 있고, 특히 의회의 중요성을 강조하고 있어.
사실 권리장전의 중요한 내용들은 모두 《정부론》에서 로크가 주장한 내용과 같아.
우리가 하고 싶은 말을 로크가 미리 했군.
정부론

《정부론》은 권력의 중심을 의회에 두고 있는데
로크는 의회야말로 자연 상태의 자유와 평등을 포기한 개인들의 권리를 위임받은 유일한 대표 기관이라고 생각했지.
내가 그대들의 권리를 맡아 놓고 있겠소.
권리
권리
또한 로크는 《정부론》을 통해 사회 계약론을 주장해.
사회 계약론이 중요한 이유는 사회나 국가가 구성된 기원을 구성원 개개인의 동의를 얻는 것에서 찾고 있다는 거야.
사회 계약론 하면 우리 셋을 빼놓을 수 없지.
존 로크
토머스 홉스
장자크 루소
국가란 개인과 개인이 서로 합의를 통해 자신의 생명과 재산을 보호하기 위하여 만들어진 것이라는 주장이지.
나도 권력에 동의한 국민의 한 사람이라고요….
시끄럿~
이는 사회 구성원의 동의를 얻지 못한 권력은 정당성이 없음을 주장하고 있어.
독재자 물러가라~
중요한 것은 로크가 시민의 동의를 권력의 기원으로 생각하고 있었다는 거야.
우리에게 그늘을 제공할 거야.
앞에서 이야기한 것처럼 이는 영국의 역사 속에서 하나의 전통처럼 내려오는 생각이란다.
영국의 왕은 유럽의 다른 나라와는 달리 귀족이 아닌 다른 계급의 사람들을 관리로 등용하면서 국민의 의견을 중요시했어.
그대를 영국의 관리로….
이는 영국 의회 제도의 역사가 길었기 때문이라고 할 수 있지.

이것이 바로 《정부론》에서 강조하는 의회 제도의 역사적 배경이야.
또한 로크는 법치주의에 대해 자세하고도 강력하게 설명하고 있는데, 군주를 비롯한 모든 사람은 법에 따라 통치하고 법에 따라 행동해야 한다는 내용이야.
그게 말이나 돼?
왕이 인간이 만든 법을 따른다는 게….
이러한 원칙은 근대 이후 대부분의 나라에서 당연히 지키고 있는 원칙이야.
그러나 당시의 유럽은 절대 왕권이 지배하던 시대라서 로크의 주장은 꽤나 과격한 생각이었어.
이건 내가 영국에서 태어났기 때문에 가능했던 것이겠지?
앞서 말한 대헌장, 권리청원, 권리장전 모두 법으로 절대 왕권을 견제하려는 시도였거든.
이러한 영국의 전통이 로크의 《정부론》 속에서 나타나는 거야.
로크의 《정부론》은 한 걸음 더 나아가 국민의 저항권에 대한 내용을 담고 있단다.
정당하지 못한 권력은 꺼져.
우악
저항권을 허용하면 너무 자주 혼란에 빠질 수도 있지 않을까?
어흠, 걱정 붙들어 매고 잘 듣도록.
지도자나 정부가 올바로 권력을 행사한다면
국민들은 저항할 이유가 전혀 없어.
정말… 그럴까?
덜덜
덜덜

《정부론》은 목적이 분명한 책이야. 명예혁명을 옹호하고 시대의 변화를 시도한 책이지.
진작 책을 다 모아서 불을 질러 버릴걸….
《정부론》의 영향력은 대단해서, 이후에 일어난 미국의 독립 선언과 프랑스 혁명에 많은 영향을 주었어.
한마디로 근대 시민 국가의 이론적 바탕이 되었다고 할 수 있지.
로크의 영향이 얼마나 컸으면, 미국 독립 선언서는 표절 논란까지 있을 정도란다.
독립 선언서 대부분의 내용이 로크의 생각과 워낙 비슷했거든.
쓱쓱
토머스 제퍼슨*
로크의 저항권 개념은 새로운 시대를 열고자 하는 사람들에게는 가뭄에 단비처럼 반가운 생각이었지.
펄럭

*토머스 제퍼슨 – 미국 제3대 대통령. 미국 독립 선언서의 기초자.

또한 로크는 《정부론》을 통해 개인의 재산권을 옹호하는 데 주력했단다.
동의 없는 과세는 없다.
콱
로크가 보기에 사유 재산은 절대로 침해할 수 없는 소중한 것이었어.
젠트리 출신의 로크에게 재산은 생명과 같은 것이었지.
목숨 = 재산.
이러한 로크의 사상은 자유주의의 큰 줄기로, 여전히 우리에게 큰 영향을 주고 있어.
정부의 시장 개입 반대!!
척
투쟁
오늘날의 신자유주의는 바로 로크의 사상을 의미하는 거야.
한마디로 이 책은 영국 역사 속에서 발전되어 온 민주주의적 요소를 정리하고 체계적으로 설명함으로써 시대의 변화를 선도하고자 시도한 것이지.
책 장사?

영국에서는 명예혁명으로 큰 무리 없이 변화가 시작되었지만,
프랑스에서는 대혁명을 불러왔고
재네들은 빵이 없으면
과자를 먹으면 되지,
시끄럽게 웬 난리야~
이궁…
배고프다!
빵을 달라!
미국에서는 영국에 대한 독립 전쟁으로
나타나게 된단다.
절대 왕권을 지닌 왕의 폭정과 지배 계급의 무리한
요구에 대항하는 데, 로크의 저항권 개념은 얼마나 반가운
생각이었을까?
영국 국왕은 폭군이야.
자유로운 인민의 통치자
로서는 적합하지 않지.
독립 선언서에
나오는 말이야.
로크의 책에서
나온 것 아냐?
그게 그거지.
저항권뿐만이 아니야. 개인의 자유와 평등에 대한
강조, 법치주의 등은 왕에게는 불순한 생각이었지만
시민들에게는 광명의 빛이었어.
반짝
반짝
자유 민주주의의 기본
정신은 로크의 《정부론》에서
찾아볼 수 있다고.
우리나라 헌법도 미국의 헌법을
모델로 만들었기 때문에 로크의
영향력을 벗어날 수 없었어.
대한민국
헌법
이렇게 로크는 근대 이후 거의 모든
나라의 헌법에 영향을 주었단다.
우쭐
이쯤 되면 왜
지금의 시대를 로크의
시대라고 부르는지
이해가 되지?
물론 《정부론》에서 나타난 로크의
한계도 분명해.
으잉?
뚝
사유 재산에 대한 지나친 옹호, 자연 상태에 대한 불분명한
설명, 정확한 근거의 부족, 부의 불평등을 인정한 점 등은
《정부론》의 한계로 뚜렷이 남아 있단다.
자, 잠깐만.
버럭
그럼에도 불구하고
내 책은 현재의 정치
제도를 가장 잘
설명하고 있잖아!
자, 그럼 이제 이렇게
유명한 존 로크를 만나러
가 볼까?
존로크
알아보러가기!

TWO
TREATISES
OF
Government:
ESSAY
CONCERNING THE
True Original, Extent, and End
OF
Civil Government.
LONDON,

마그나 카르타 (대헌장)

▲ 대헌장으로부터 왕권을 제한할 수 있다는 생각이 자리 잡았다.

몇 년 전, 마그나 카르타 원본 경매가 사람들의 관심을 끌었죠. 2,000만 달러가 넘는 엄청난 가격은 물론이려니와, 많은 사람들이 마그나 카르타 원본이 하나가 아니라는 사실도 알게 되었습니다. 마그나 카르타, 혹은 대헌장이라고 불리는 이 문서는 민주주의 역사에 빠질 수 없는 중요한 의미를 지닌 문서입니다.

마그나 카르타란 영국 의회 정치를 발전시키는 결정적인 계기가 된 문서입니다. 대헌장은 1215년 당시 영국의 존 왕과 귀족들 사이에 맺어진 약속을 문서화한 것입니다. 영국의 존 왕은 자신의 권한을 강화하기 위하여 여러 차례 전쟁을 일으켰는데, 이때 필요한 재원을 마련하려고 많은 세금을 거두어 들였습니다. 이러한 왕의 정책은 귀족과 일반 국민의 반발을 불러왔으며, 전쟁에 패하자 이러한 반발이 더욱 커져 결국 국민의 지지를 등에 업은 귀족들의 압력에 굴복한 존 왕은 대헌장에 서명을 하게 되었죠.

사실 대헌장은 귀족들의 권리를 보장하는 내용일 뿐, 새로운 것은 아니었습니다. 그러나 절대적이었던 왕의 권리를 제한할 수도 있다는 경험은 근대 민주주의를 발전시키는 뿌리가 되었고, 영국에서는 이 사건 이후 왕의 잘못을 지적해야 할 때마다 '마그나 카르타'를 외치는 것이 관례가 되었습니다. 존 왕 이후 영국의 왕들은 즉위할 때마다 새로운 대헌장에 서명해야 했고, 그래서 여러 개의 원본이 존재하는 것입니다.

▲ 존 왕은 실패한 왕이지만 역설적으로 영국 의회 민주주의에 기여하였다.

'헌장(Carta)'은 중세 영국 법제하에서 특정 집단에게 국왕이 부여하는 특혜나, 구체적 허가 사항을 담고 있는 문서를 말합니다. 대헌장 역시 왕이 귀족들의 권리를 보장해주는 약속을 담고 있는 것입니다. 그러나 대헌장은 처음 만들어진 의도와 상관없이 '권리청원', '권리장전'과 더불어 민주주의와 의회주의가 발전할 수 있는 토대가 되어 그 의미가 점점 중요해졌습니다. 대헌장은 '귀족들의 동의 없이 함부로 과세할 수 없다.'는 조문과 '법에 의하지 않고 함부로 국민을 처벌할 수 없다.'는 조문 등 총 63개 조항으로 정리되어 있는데, 이러한 조문을 근거로 영국의 왕들은 의회의 강력한 견제를 받게 되었습니다. 즉 이때부터 영국이 의회를 중심으로 한 국가로 발전할 수 있는 근거가 마련된 것입니다. 왕보다 법이 우선한다는 원칙이 문서화되면서 영국에서는 왕의 권한이 축소되고, 의회의 권한이 강화되는 의회 민주주의가 자리잡게 되었습니다.

제2장 존 로크는 누구일까?

《정부론》을 쓴 존 로크는 누굴까?
정부론

그는 '영국 경험주의 철학의 아버지' 혹은 '위대한 자연법 사상가' 또 무엇보다 '위대한 민주주의 사상가'로서 높이 평가받고 있어.

한마디로 엄청난 사람이라는 얘기지.
철학, 윤리, 종교, 정치, 경제, 사회, 의학 등 다양한 분야에 대한 나의 관심과 지식은 상상을 초월할 정도일걸.
크하하핫
잘난 척은…
칫

로크는 1632년, 영국의 서머싯 주 링턴의 평범한 중산층 가정에서 태어났어.

아버지는 법률가로 그 지방 치안 판사의 비서였고, 어머니는 신앙심이 깊은 분이었지.
우리들은 모두 청교도였답니다.

그런데 청교도가 뭐냐고?
Puritan

좋아. 로크를 이해하자면 청교도에 대한 설명부터 시작하는 것이 좋겠어.
내 사상을 이해하려면 이건 필수지.

교황이 가톨릭의 지도자라는 것쯤은 다 알고 있지?

교황은 당시 유럽의 정신적 지주였어.
나는 예수 그리스도의 대리자이자, 베드로의 후계자, 바티칸의 주권자….

왕도 교황의 권위에 함부로 도전하지 못할 정도로 그 권력이 막강했지.
이거 사사건건 교황의 눈치나 봐야 하니….

중세 유럽의 교황은 왕을 갈아 치울 정도로 막강한 권력을 휘둘렀어.
이제부터 왕은 너다.
감사….

혹시 '카노사의 굴욕'이라는 말을 들어 본 적 있어?

이 사건은 당시의 교황이 얼마나 강력한 권한을 가지고 있었는지 보여 줘.
11세기에 교황 그레고리오 7세가 성직자 임명권에 대한 규정을 강화하자
그레고리오 7세
신성 로마 제국의 황제 하인리히 4세는 이 문제로 교황과 정면으로 대립해.
크르르
그때까지 주교는 왕이 임명했거든.
당연히 주교 임명권은 왕한테 있는 거요.
지금까지 그래 왔잖아!
이제부턴 아니오.
앞으로 사교, 수도원장 등 상급 성직자의 임명권은 교황에게 있소.
황제들은 이 사항을 지켜야 합니다.
두고 보자.
이 일로 왕은 교황을 폐위한다고 선언하고
교황을 폐위시켜야 한다. 그는 교황의 임무보다 황제의 권리를 가지려고 한다!
교황은 왕을 파문시키면서 일이 점점 커졌지.
하인리히 4세의 의견에 동참하는 모든 황제와 국왕은 파문시키겠노라.
그런데 제후들과 성직자들이 교황의 편으로 돌아서면서
저것들이 약속을 깨고….
결국 하인리히 4세는 교황이 머물고 있던 이탈리아의 카노사 성으로 찾아가서 자신의 잘못을 빌고 용서를 구하게 돼.
카노사 성
1년 안에 교황으로부터 재임명받지 않으면 제후들이 황제로 인정하지 않겠다는군.
터벅

그것도 쉽게 용서가 된 게 아니라, 3일 동안 성문 밖에서 교황을 만나기 위해 기다렸어.
덜덜
휘이잉
정말 완전한 굴욕이군.
이 사건은 한마디로 교황의 권한을 상징하는 사건이라고 할 수 있어.
하인리히 4세의 파문을 오늘로 거두어들인다.
고… 고맙습니다.
하지만 종교 개혁 이후로는 교황의 권한이 점점 약해지고
끼이
왕의 권한은 상대적으로 점점 강해졌단다.
이익
언제 어디서든 권력이 지나치게 집중되고 강력해지면 부작용이 생기게 돼.
고여 있는 물은 썩기 마련이니까….
앵
앵
가톨릭 역시 세속적인 권력에 지나치게 관여하게 되면서
면죄부 팝니다, 면죄부 팔아요.
동전이 땡그랑 소리를 내자마자 연옥으로부터 튀어나옵니다.
덜컹
덜컹
교황청에서 돈이 궁한 모양이야.
가톨릭 내부에서 이러한 문제를 제기하게 되었어.
문제를 제기한 대표적인 인물이 루터나 칼뱅 같은 젊은 신학자들이었지.
마르틴 루터
장 칼뱅
이들은 원래의 기독교 정신으로 돌아갈 것을 주장하면서
고행이나 헌금을 통해 구원에 이르는 것이 아니라 오직 신앙에 의해 구원됩니다.

프로테스탄트(개신교)라는 새로운 종교 개혁 세력을 탄생시킨단다.
프로테스탄트란 프로테스트, 즉 항거한다는 말에서 나온 것입니다.
기존 로마 가톨릭의 부패에 항거하여 만들어진 종파를 모두 합쳐 프로테스탄트라고 하죠.
16~17세기에는 개신교가 유럽 전역에 영향을 미치게 되었고
유럽에는 종교뿐만이 아니라 정치, 경제, 문화 등 모든 면에서 새로운 변화가 생기게 돼.
콰 콰 콰 콰
프로테스탄트
어쩌다 이런 일이…
시대의 변화 아닐까요?
영국은 이러한 변화를 더욱 극적으로 경험한 나라였지.
그 중심에는 헨리 8세라는 왕이 존재한단다.
내가 바로 영국의 종교적 독립을 선언했지.
16세기 유럽은 종교 개혁의 움직임이 강했고
와
낡고 부패한 교회에 하나님은 계시지 않는다.
와
교황의 권위는 점점 기울어지고 있는 상황이었어.
우리 영국도 예외는 아니었지.
그러나 헨리 8세가 가톨릭을 외면한 것은 아니야.
난 오히려 교황이 인정할 정도로 독실한 가톨릭 신자였다고.
다만 일은 엉뚱한 곳에서 시작되었어.
그것은 왕권 강화에 대한 헨리 8세의 노력 때문이었어요.

당시 영국은 그리 강력한 나라가 아니었기에, 다른 나라와의 관계를 중요하게 생각했단다.
그중에서도 에스파냐는 가장 신경을 써야 하는 나라였지.
우리 에스파냐는 무적함대라는 별명이 붙을 정도로 강력한 힘을 가진 나라였소. 마땅히 영국도 우리 눈치를 봐야 했지.
그래서 헨리 8세는 왕비로 에스파냐의 캐서린 하워드를 선택하게 되었어.
캐서린 하워드
캐서린을 선택하게 된 건 헨리 8세의 뜻은 아니었어.
영국이 안전하려면 어쩔 수 없지….
놀랍게도 그녀는 헨리 8세의 형과 이미 결혼한 상태였어.
헨리 7세의 맏아들 '아서' 입니다.
캐서린의 본 남편이죠.
그러나 병약한 형은 일찍 죽었고
출연하자마자 퇴장이라니….
벅벅
왕위를 동생인 헨리 8세가 물려받으면서 문제가 생긴 거야.
주연: 나탈리 포트만 스칼렛 요한슨
천일의 스캔들
내 얘기가 영화로까지 나왔네?
박스 오피스 성적은?
원래는 에스파냐의 공주와 영국의 왕자가 결혼하고 그것을 통해 영국의 안전을 보장받고자 성사된 결혼이었어.
그런데, 왕자가 죽어 버렸으니….
방법이 딱 한 가지 있긴 한데….
그렇다면…
결국 헨리 8세가 영국의 안전을 보장받기 위해서 형수인 캐서린을 선택하게 된 거지.
저와 결혼해 주시겠습니까?
척

사랑이 없는 결혼은 영국 왕의 운명이었지.
순전히 정치적인 결혼이라고….
쩝
헨리 8세와 캐서린의 결혼 생활은 원만하지 않았어.
사랑이 없었던 것은 물론 둘 사이에 아들을 낳지 못한 게 결정적인 이유였지.
그래도 딸은 하나 낳았어요.
내가 커서 그 유명한 '블러디 메리'가 되죠.
헨리 8세는 이것 때문에 많은 고민이 있었단다.
스트레스 때문에 머리 빠지는 것 좀 봐.
아직 왕권이 안정되지 못한 상태에서 딸을 왕으로 삼는 것에 대해 불안하게 생각한 거야.
아들이 필요해, 아들이….
그래서 새로운 부인을 얻어서 아들을 낳고자 했는데 그 상대가 앤 불린이라는 시녀였어.
문제는 헨리 8세의 이혼이 불가능하다는 거야.
가톨릭에서 이혼은 절대 금지되어 있소.
쳇!
헨리 8세는 여러 방법을 동원하여 합법적으로 이혼하고자 했지만
어떻게 안 될까?
아, 교황 인감도장 가져오시라니까요.
103

캐서린이 당시 강력한 힘을 가진 에스파냐의 혈통이었고
펄럭
교황도 에스파냐의 강력한 힘을 무시할 수 없었어.
역시 무적 함대야.
그래서 끝내 교황의 허락을 받지 못했고 이혼이 어렵게 되었지.
No!
결국 헨리 8세는 수장령*을 제정해 영국에 새로운 종교가 생겼음을 선언하게 돼.
영국 국교회가 탄생했음을 알리겠노라.

*수장령 – 영국 국왕을 영국 교회의 최고 수장으로 하는 법률.

그렇다고 새로운 교리가 생긴 것은 아니고 내용상의 변화도 거의 없어.
로마 가톨릭과 프로테스탄트를 잘 섞은 다음에…
오로지 헨리 8세의 이혼을 합법화하려고 영국 교회가 국왕의 명령에 따르도록 바꾼 것뿐이지.
로마 교황은 이제 모른 척하겠다 이거지.
덜덜
비록 자신의 이혼을 위하여 영국과 로마 교황의 관계를 단절했지만
흐흑
안녕, 캐서린~
그 결과는 엄청난 변화를 가져오게 되었어.
나비 효과~
이제 영국은 가톨릭을 지지하는 세력과 새로운 종교인 영국 국교회를 지지하는 세력으로 나뉘게 된 거야.
어라, 이건 예상 못 한 일이네?

이후 영국의 역사는 누가 왕이 되느냐에 따라 국교가 가톨릭이 되었다가
가톨릭 교회
영국 국교회가 되었다가 하는 혼란의 시기가 시작되었어.
성공회 교회
그 과정에서 청교도라는 새로운 세력이 등장하게 되었지.
청교도란 프로테스탄트 중에서도 종교의 순수성을 더욱 강조한 사람들을 가리키는 말이야.
장 칼뱅
16~17세기 영국, 미국, 뉴잉글랜드에서 칼뱅주의의 흐름을 이어받은 개혁파들이죠.
종교 개혁을 더욱 완전하게 이루고자 한 사람들이지.
우리는 로마 가톨릭적인 제도와 의식 일체를 배척해야 합니다.
앞에서도 말했듯이 로크의 부모님이 바로 청교도였어.
나를 이해하기 위해서는 종교 개혁과 영국 국교회에 대한 이해가 반드시 필요하지.
또한 로크는 젠트리 출신이야.
젠트리란 14세기부터 영국의 정치 · 사회 변화를 이끈 새로운 세력을 가리키는 말이야.
젠트리는 귀족은 아니지만 경제력을 갖추었고 전문 지식을 가지고 있는 사람들이었지.
바로 우리 아버지와 같은 법률가도 젠트리란다.
이들은 종교 개혁의 강력한 지지 세력이었어.
당연하죠.
종교 개혁을 통해 우리들의 정치적 입지가 높아졌으니까요.

과거에는 귀족들에 억눌려 살 수밖에 없었던 젠트리들이
누려라~ 귀족의 특별한 권리~
크크크
종교 개혁을 통해 귀족과 맞먹는 사회적 지위를 얻을 수 있게 되었어.
여~ 자네 요즘 어떻게 지내나?
툭 툭
이제 완전히 맞먹으려고 하네….
로크도 이러한 혜택을 얻어서 당시 귀족 학교로 알려진 웨스트민스터 학교에 입학할 수 있었지.
와~ 여기가 바로 웨스트민스터 학교~
킥킥, 촌놈~
로크의 아버지와 친분이 있었던 의원의 지원을 받은 거야.
내가 도와줘도 될까?
시대를 잘 타고났기에 귀족이 아니면서도 정통 엘리트 코스를 밟으며 성장할 수 있었던 거지.
웨스트민스터를 졸업한 로크는 1652년에 옥스퍼드 대학교 안에서도 손꼽히던 크라이스트 처치 대학에 들어가 학문의 기초와 정치 인맥을 쌓게 된다.
그런데 이 학교는 귀족의 자녀들이 다니던 학교라서 보수적인 성격이 강했어.
후후
역시 내 스타일이야.
내 성격이 본래 조심스럽고 보수적이거든.

이러한 보수성은 로크의 재산 관리에서도 잘 드러나서
쓱쓱
두부 두 모, 파 한 단, 콩나물….
주인님도… 참 너무 꼼꼼하시다….
로크는 자신의 땅을 빌려 농사짓는 사람들에게는 너그럽지 못했지.
더 많이 수확할 수 없다면, 내 땅에서 나가 주게.
로크는 아버지의 유산을 물려받았는데
아버지가 성실하게 재산을 늘려 놓은 덕택에 죽을 때까지 돈 걱정 없이 살았단다.
난 참 운이 좋은 것 같아.
시대를 잘 타고나서 좋은 교육을 받을 수 있었고, 넉넉한 유산도 상속받아 큰 걱정 없이 살았으니 말이야.
이러한 성장 배경은 로크의 사상에도 영향을 줄 수밖에 없었지.
청교도 사유 재산
그래서 사유 재산에 대한 로크의 신념은 대단했단다.
내 재산은 왕도 못 건드려~
청교도이자 젠트리 출신의 로크에게 사유 재산은 절대로 포기할 수 없는 중요한 정치적, 사회적 기반이었어.
《정부론》에 이런 내 생각을 분명하게 정리했지.
신자유주의라는 말을 들어 봤지?
Neo Liberalism
신자유주의란 새로운 자유주의를 말하는 것이 아니라 원래의 자유주의로 돌아가자는 의미야.
후
그 신자유주의를 대표하는 사람이 바로 나란다.
즉 신자유주의란 사유 재산의 중요성을 강조하는 것
척
내 재산을 노리다니, 정당방위가 뭔지를 보여 주마.

그리고 자유로운 경쟁과 부의 축적에 따르는 부의 불평등에 대한 정당성을 주장하는 거야.
더 열심히 노력하면 지금보다 큰돈을 벌 수 있을 거야.
툭
로크에게 사유 재산은 인간의 생명만큼 중요한 것이었어.
청교도이자 젠트리라는 정치 경제적 위치에 있던 로크의 환경이 바로 사유 재산에 대한 이와 같은 생각을 하게 만든 것이지.
《정부론》 곳곳에서 이런 내 생각을 찾아볼 수 있을 거야.
대학에 진학한 로크는 자신의 전공 분야보다는 의학과 과학에 관심을 기울였어.
여기가 더 재미있는 곳 같은데?
'보일의 법칙'으로 유명한 로버트 보일과 함께 실험에 열중하기도 하고
나중에 우리 둘 다 유명해지지 않을까?
당대의 의사인 토머스 시드넘에게 의학을 배워서 의사 자격증까지 가졌지.
나, 영국의 히포크라테스.
로크는 어린 시절 소아마비를 앓았기 때문에, 의학에 관심이 있었던 것은 어쩌면 자연스러운 일일 거야.
저도 의사가 될 수 있을까요?
결국 이 의사 자격증이 나를 영국 정치의 중심으로 이끌었으니, 참 재미있는 우연이지?
씨익
자격증

1666년 여름, 로크는 휴양차 온천에 온 앤서니 애슐리 쿠퍼 경을 만나게 돼.
모락
모락
그는 로크를 만나자마자 호감을 가지게 되었어.
전 로크의 학문과 화술에 이끌렸습니다.
나중에 태어났으면 유명한 MC가 됐겠죠
쿠퍼 경은 로크를 자신의 주치의로 삼았지.
아~.
생선 뼈가 목에 걸렸군요.
그러던 중에 쿠퍼 경이 간 종양에 걸리게 되고, 로크는 자신의 의술을 발휘하여 쿠퍼 경의 목숨을 구했단다.
자넨 내 생명의 은인이야.
와락
켁켁…
바로 이 사람이 로크의 정치적 후원자인 샤프츠버리 백작이야.
백작은 당시 영국 정치계의 거물이었어.
내가 바로 휘그당의 창당자이자 지도자였죠.
휘그당이란 영국의 왕권신수설에 반대하는 정치 집단을 가리키는 말이야.
우리 휘그당의 지도자는 귀족이었지만 지지자들은 주로 상인이나 비국교도였죠.
그래서 반왕권적 성격이 강했어요.
앞에서도 말한 것처럼 제임스 2세가 왕위를 물려받는 문제를 둘러싸고 당시의 정치가들이 둘로 나뉘는데
으아악

왕권신수설을 지지하는 사람들을 토리당, 반대하는 사람들을 휘그당이라고 불렀단다.
눈꼴시어서 정말….
크
원래 휘그란 스코틀랜드의 폭도라는 뜻을 가진 말이고
토리란 아일랜드의 도둑을 부르는 말이었어.
서로 상대를 조롱하려고 이런 이름을 붙인 거지.
좀 유치한가?
토리당과 휘그당은 영국 양대 정당 제도의 기원이 되었어.
후일 토리당은 보수당으로, 휘그당은 자유당으로 이어졌습니다.
어쨌든 백작과의 만남은 로크에게 커다란 변화를 가져왔지.
백작은 자유주의 정치가였는데, 그는 국가 경제가 번영하자면 종교의 다양성을 인정해야 한다고 생각했어.
왜냐하면 외국과의 교역이 영국의 번영과 깊은 관계가 있으니, 종교가 다르다는 것을 인정해야 한다고 생각하게 되었거든.
이러한 영향은 로크의 삶의 태도에 전격적인 변화를 가져왔어.
보수주의자에서 자유주의자로 변신!
역시 친구를 잘 만나야…
샤프츠버리 백작과 만나게 되면서, 로크는 정치적 성향뿐 아니라 정신적인 면에도 영향을 받게 된 거지.
내 주치의이자 정치적인 동료인 로크를 소개하네.
수군 수군
백작은 사람들과의 만남과 토론을 즐기는 사람이었지.
조용하고 소심했던 내가 많은 사람들을 만날 수 있었던 것은 모두 백작 덕분이란다.

로크는 이 과정에서 주로 종교와 도덕적인 문제에 관심을 기울였어.
성서
당시 영국은 종교 개혁의 중심지였고, 왕위를 누가 이어받는가 하는 정통성에 관한 시비가 자주 일었거든.
콰당탕
퍽
뭐 하는 거야?
퍽
이러한 문제를 해결하기 위한 깊은 고민은 로크에게 사상적인 변화와 깊이를 가지게 해 주었지.
결과적으로 난 경험론자가 됐어.
로크가 보기에 기존의 문제점들은 모두 독단에서 비롯된 것이었어.
독단이 문제야!
어떤 문제에 대해서 증명하기보다는 '신으로부터 물려받았다.' 든지
왕권은 신으로부터 주어진 것이다. 고로 모두 내게 복종해야 해.
'성서에 그렇게 기록되어 있다.' 라는 식으로 답하는 것이 마음에 안 들었던 거지.
여기 다 기록되어 있잖아. 더 이상 뭐가 필요해?
성서
또 로크는 무슨 일이든 신념에 의해서가 아니라, 실험이나 증명이 필요하다고 생각했어.
평소부터 자연 과학에 관심이 많았지.
부글 부글
똑
운이 좋은 로크였지만, 한편으로는 시련도 있었어.
깜짝!
모두 발각됐다고?
제임스 2세가 왕위에 오르는 것을 반대한 백작이 이에 대한 반란을 계획하다가 발각되고 만 거야.
그래서 백작과 함께 네덜란드로 피신하게 되었지.
1683년의 일이야.
다다다

지금도 마찬가지지만 당시에도 네덜란드는 종교와 정치적인 자유가 허용된 나라였거든.
그럴 수밖에 없는 것이 좁은 땅덩어리의 나라가 살아남으려면 무역을 통해서 경제를 살려야 하는데….
그러자면 종교와 정치에 얽매일 수는 없었으니까.
오히려 네덜란드에서 로크는 자유롭게 사상적인 교류를 하게 되고, 당시 유럽의 변화를 몸으로 경험하게 됐어.
이곳에서 《인간 오성론》, 《관용 편지》와 같은 책을 썼어.
로크는 이 시기에 많은 학자들과 교류를 했고
자신의 사상을 완성시키는 계기를 이곳 네덜란드에서 마련하게 된단다.
네덜란드
조선 후기의 위대한 철학자 다산 정약용 알지?
정약용도 자신의 뛰어난 재능을 유배 생활 동안 500여 권의 책으로 남긴 것처럼
로크도 5년여의 네덜란드 망명 생활 동안 자신의 사상을 정리하게 된 거야.
전화위복이 된 셈이지.
그래서 로크의 책은 대부분 망명 이후에 출판됐는데, 여기에 대해서는 이런 해석도 있어.
정부론
인간 오성론

당시 영국에서는 로크의 사상이 위험하게 취급되었기 때문에, 이미 써놓은 상태에서 출판만 미루어졌다는 거야.
혹시 판매 금지 되는 것 아닐까요?
글쎄요, 감옥에 들어갈지도….
《정부론》도 사실은 명예혁명 이전에 씌어졌지만 출판은 그 이후에 되었다는 거지.
이제 이 책을 찍어 내자고.
네덜란드에서 활발하게 저술 활동도 하고, 자유로운 사상적 교류를 누리던 로크는
흠~ 꽃 냄새 좋군.
마침내 제임스 2세가 물러나면서 영국으로 돌아오게 된단다.
이 사건이 그 유명한 '명예혁명' 이야.
제임스 2세를 지지하던 토리당마저 제임스 2세에게 등을 돌리면서
너희들까지 왜 이래?
네덜란드에 있던 윌리엄 공에게 도움을 요청하게 됐어.
저희들의 왕이 되어 주시오.
OK~
앞서 설명한 것처럼 휘그당이 왕위 계승에 반대했던 바로 그 제임스 2세의 폭정에 시달리던 영국 국민은 저항하게 되고
더 이상 못 참겠다!
제임스 2세는 물러나라!
와
제임스 2세 OUT!
와
와
감히 저것들이…
결국 영국 국민들의 요청을 받아들인 윌리엄 공이 군대를 이끌고 영국으로 진격하자
위협을 느낀 제임스 2세가 프랑스로 망명하면서 피 한 방울 흘리지 않고 새로운 나라가 세워지게 된 거지.
그래서 '명예혁명' 이라고 부르게 되었다오.

이때 로크도 윌리엄 공과 함께 영국으로 돌아왔고
얼마 만에 밟아 보는 영국 땅이냐….
개골…
쪽
마침내 새로운 세상을 만드는 중요한 역할을 하게 되었어.
자랑 같지만 이 책 《정부론》은 명예혁명이 성공하는 중요한 계기가 되었지.
정부론
명예혁명은 1688년에 성공하였고, 《정부론》이 출판된 것은 1690년이지만
어라, 나중에 출판된 책이 어떻게 먼저 일어난 사건에 영향을 줬지?
정부론
출판만 안 되었을 뿐이지 이미 《정부론》의 내용은 영국은 물론 유럽 전체의 많은 사람들에게 영향을 주었거든.
자네도 그 책 읽었나?
국민의 권리에 대해서 말하더군.
당시에는 너무 과격한 내용이었기 때문에 익명으로 출판될 정도였단다.
첨 들어 보는 이름인데?
지금 우리에게는 당연한 내용들이지만 당시 사람들에게는 파격적인 내용이었지.
국민의 권리, 사유 재산권, 자유, 부당한 권력에 대한 저항권 등등….
영국으로 돌아온 로크는 그야말로 거칠 것이 없는 상태였어.
마침내 입헌 군주제가 시작되었고, 내 책에서 주장하던 내용이 하나하나 실현되고 있으니….
입헌 군주제란 왕은 존재하지만 실질적인 권력은 의회가 가지고 있다는 뜻이야.
군림하지만 지배하지는 않는다!
대부분의 혁명가가 자신의 혁명이 성공하는 것을 보지 못했던 것과는 달리
30여 년을 더 살았으면 볼 수 있었을 텐데….
카를 마르크스
로크는 자신이 생각하는 혁명이 성공하는 모습을 지켜봤고, 그러고도 오랜 시간을 살다가 죽었지.
John Locke
1632.8.29.~
1704.10.28.

로크는 명예혁명이 성공한 이후에 여러 고위관직을 두루 거치면서 편안한 말년을 보내게 된단다.
동시에 로크의 저술들도 대부분 이 시기에 출판되었어.
기독교의 합리성
인간 오성론
교육론
그러나 대부분의 책들은 앞에서 이야기한 것처럼 이름을 숨긴 채 출판되었지.
끄응
어휴~ 매번 새 가명을 짓기도 머리 아프네.
로크의 책은 당시 사람들에게 많은 논란을 불러일으키는 내용이었기 때문이야.
난 이 사람 얘길 인정할 수 없어.
벌컥
난 전적으로 찬성한다고!
정부론
정부론
만약 이름을 밝히고 책을 출판했다면, 말년에 편안하게 생활하지 못했을지도….
로크는 운이 좋은 사람이지만 반면에 꼭 운이 좋다고만 할 수 없는 부분도 있어.
이익
이크, 이게 뭐야?
일단 평생을 독신으로 살았던 걸 보면, 사랑에는 운이 따르지 않았던 것으로 보여.
저 친구, 정말 애인이 없을까?
당시의 로크는 지금으로 봐도 꽃미남 스타일이니 주변에 여성이 없었던 것도 아니었을 거야.
이 정도가 얼짱 각도인가?
분명한 이유는 알 수 없지만 어쨌든 로크는 평생을 독신으로 살다가, 말년에 자신의 친구인 매섬 부인의 집에서 고요히 앉은 채로 숨을 거두었단다.

지금까지 살펴본 것처럼 로크는 가장 큰 변화의 시대를 가장 앞장서서 경험했던 사람이야.
내리는 비를 내가 가장 먼저 맞겠군.
자신의 생각을 실천하고, 남들에게 그 생각을 전하고자 끊임없이 노력했던 사람이지.
그 덕분에 우리가 지금의 자유로운 세상에서 살고 있다고 할 수도 있죠.
뒤에 자세히 얘기하겠지만, 지금 우리가 살고 있는 세상을 '로크의 시대'라고 부를 만큼
그거 멋진 말인데?
John Locke
이미 《정부론》을 비롯한 그의 저서 속에서 지금의 우리가 누리는 정치적 자유에 대한 대부분이 언급되고 있단다.
내 행운은 시대의 변화와 함께 한데서 시작된 거야.
시대를 너무 앞서 가면 갈릴레이처럼 외면당할 수도 있을 텐데
벌컥
지구가 빙빙 돈다고 한 것이 그대인가?
로크는 시대의 변화와 정확히 맞아떨어졌기 때문에
끼리릭
자신의 생각이 실천되고 실현되는 것을 직접 경험할 수도 있었고, 존경받는 인생을 살아갈 수도 있었단다.
이 운 좋은 사나이는 꿈을 가진 사람들이 부러워할 삶을 살아간 몇 안 되는 혁명가가 아닐까?
마지막으로 로크의 죽음에 대해 그의 연인으로 알려진 매섬 부인이 한 얘기로 마무리할까 해.
그의 죽음은 그의 삶처럼 경건하면서도 자연스럽고 편안했으며 고요했답니다.

휘그당과 토리당

▲ 제임스 2세

토리당과 휘그당은 1679년 요크 공(후에 제임스 2세)의 왕위 계승에 관한 찬반 논쟁 과정에서 등장한 정치적 용어입니다. 원래 '토리'란 아일랜드의 불법적인 가톨릭교도를 일컫는 말이었고, '휘그'란 스코틀랜드의 말 도둑을 일컫는 말이었습니다. 왕위 계승을 둘러싸고 서로 상대방을 비하하며 지칭한 일종의 욕설이, 나중에 그 정파의 명칭이 되어 버린 우스꽝스러운 상황이 벌어진 것이죠.

토리당은 왕권신수설을 지지하는 정파에서 시작되었습니다. 그들은 왕의 권한은 신으로부터 주어진 절대적인 것이라는 필머 경의 주장을 토대로 요크 공의 왕위 계승을 지지하였습니다. 반면에 휘그당은 샤프츠버리 백작을 중심으로 하는 요크 공의 왕위 계승을 반대하는 정파였는데, 로크의 《정부론》을 토대로 왕의 권한을 제한하고 의회의 권한을 강화해야 한다고 주장했습니다.

요크 공의 왕위 계승에 대한 찬반 논란은 토리당의 승리로 끝났으며, 휘그당은 대부분 해외로 도피하게 됩니다. 로크 역시 이때 네덜란드로

피신하게 되죠. 왕위에 오른 제임스 2세는 폭정을 일삼으면서 국민과 귀족들의 신뢰를 잃었고, 결국 제임스 2세를 지지하던 토리당마저 그에게 등을 돌리면서 1688년 명예혁명이 일어나게 됩니다. 이 과정에서 토리당과 휘그당이 손을 잡게 되었고, 명예혁명 이후 영국 의회는 휘그당의 시대가 열리게 됩니다.

▲ 로크의 위대한 업적은 샤프츠버리 백작 때문이라 해도 과언이 아니다. 샤프츠버리 백작. (1621~1683)

휘그당은 로크의 《정부론》을 이론적 토대로 하여 국민의 자유, 사유 재산권, 부당한 권력에 대한 저항권의 이념을 영국에 뿌리내리는 정치적 변화의 중심이 되었으며 반면에 토리당은 점점 그 세력이 약해졌습니다. 전통적으로 토리당은 영국의 국교도와 지주의 지지를 받았으며, 휘그당은 토지 소유 계층과 부유한 중산층의 지지를 받았습니다. 이러한 지지 세력의 차이는 시대의 변화와 어울려 시민 계급이 사회의 중심 세력으로 성장하자 토리당의 침체를 가속화시켰습니다.

토리당과 휘그당의 등장은 영국의 정치권력 구도를 양당 체제로 만드는 계기가 되었으며, 영국식 의회 민주주의를 발전시키는 원동력이 되었습니다. 근대에 들어와서 토리당은 보수당으로, 휘그당은 자유당으로 이어져 내려오고 있답니다.

제3장 자연 상태에 대하여

이제부터 본격적으로 《정부론》의 내용으로 들어가 보자.
뭐라고? 쉽게 설명해 달라고?

걱정 마세요. 누구나 이해할 수 있게 설명해 놓은 책입니다.

《정부론》의 시작은 권력의 기원에 대한 설명으로 시작한단다.

영국의 역사를 살펴봤으니 알겠지만, 《정부론》은 영국 역사상 가장 큰 변화의 시기에 나온 책이야.
콰콰콰콰
파도가 예사롭지 않은데?

왕과 의회의 오랜 갈등이 마침내 의회의 승리로 끝나는 바로 그 시기에 큰 역할을 한 책이지.
군림하지만 통치하지는 않는다.
권리장전을 봤으면 의회가 왕보다 우위라는 걸 알고 있겠지?
아무렴.

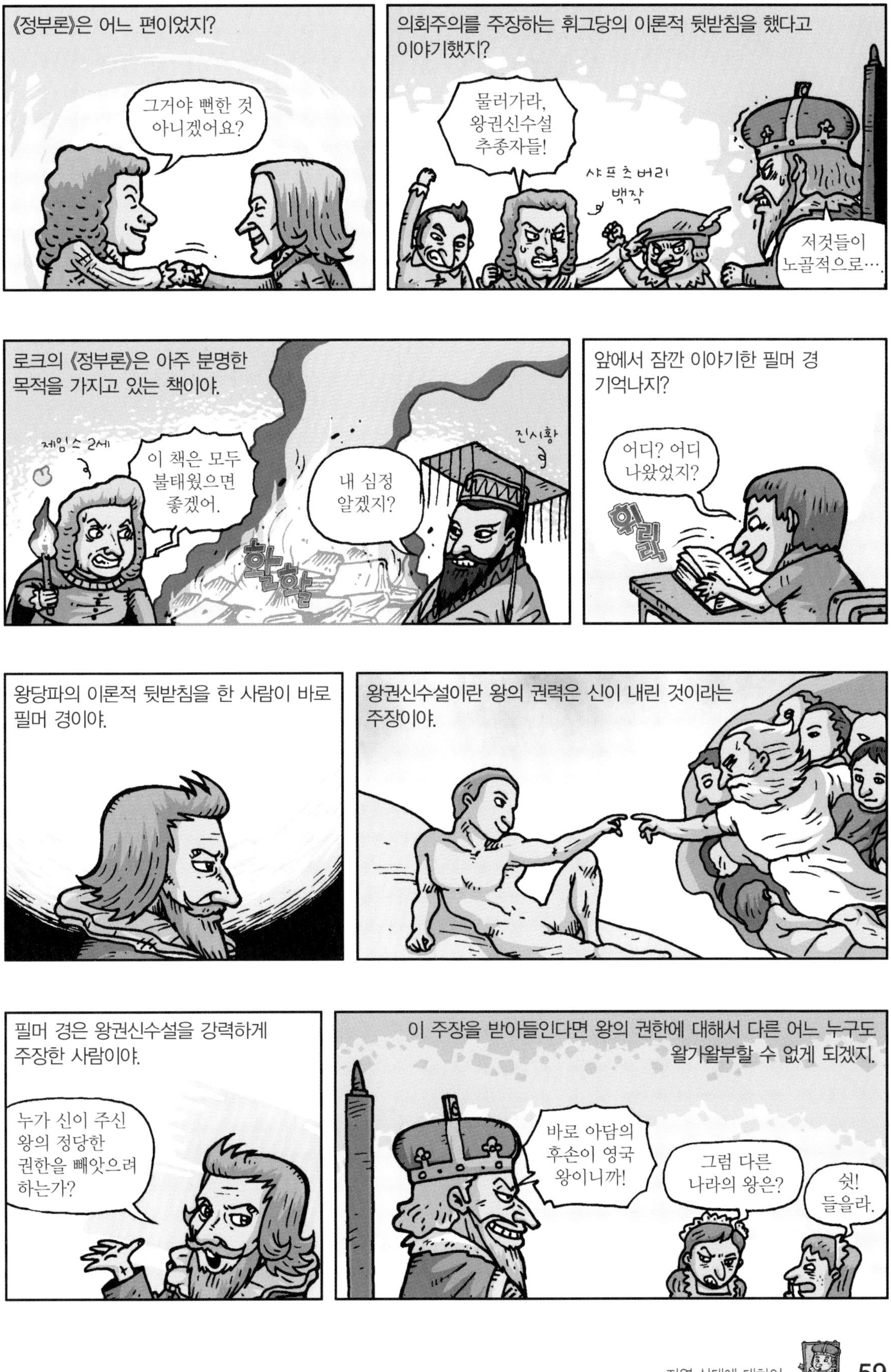
《정부론》은 어느 편이었지?
그거야 뻔한 것 아니겠어요?
의회주의를 주장하는 휘그당의 이론적 뒷받침을 했다고 이야기했지?
물러가라, 왕권신수설 추종자들!
샤프츠버리 백작
저것들이 노골적으로….
로크의 《정부론》은 아주 분명한 목적을 가지고 있는 책이야.
제임스 2세
이 책은 모두 불태웠으면 좋겠어.
내 심정 알겠지?
진시황
활활
앞에서 잠깐 이야기한 필머 경 기억나지?
어디? 어디 나왔었지?
휘릭
왕당파의 이론적 뒷받침을 한 사람이 바로 필머 경이야.
왕권신수설이란 왕의 권력은 신이 내린 것이라는 주장이야.
필머 경은 왕권신수설을 강력하게 주장한 사람이야.
누가 신이 주신 왕의 정당한 권한을 빼앗으려 하는가?
이 주장을 받아들인다면 왕의 권한에 대해서 다른 어느 누구도 왈가왈부할 수 없게 되겠지.
바로 아담의 후손이 영국 왕이니까!
그럼 다른 나라의 왕은?
쉿! 들을라.

국민으로부터 주어진 것도 아니고, 귀족들로부터 주어진 것도 아닌 것이니까 말야.
왕의 권력은 신에게서 받은, 그야말로 절대 권력이 되는 거야.
왕이 결정한 것은 그 누구도 반대할 수 없고, 왕의 결정은 법보다 우선하는 것이지.
자, 프랑스와 전쟁이다.
의회의 동의가 필요치 않을까요?
필머 경은 왕권의 개념을 가부장권과 같은 것으로 보았단다.
가부장권이란 집안에서 아버지가 가지는 권한을 말해.
함부로 내 방에 들어가지 말고,
아버지 물건 만지지도 말고,
외출할 땐 엄마 말 잘 듣고….
온통 하지 말아야 할 것 투성이네.
다시 말해서 왕은 한 집안의 아버지와 같다고 생각한 거지.
그렇다면 왜 이런 주장이 나왔을까?
그거야 성서의 역사를 통해서 왕권신수설을 옹호하려고 했으니까.
성서에 따르면 최초의 인간은 아담이야.
난 신의 형상을 따서 만들어진 최초의 인간.
그럼 난?
아담은 하와와 결혼하면서 최초의 아버지가 되었지.
쌔액
필머 경이 보기에는 아담이 바로 최초의 인간이자
창세기
아담 자손의 계보가 이러하니라 하나님이 사람을 창조하실 때에…

최초의 아버지고, 최초의 왕인 거야.
한 걸음 더 나아가 아담의 후손이 바로 영국 왕이라는 얘기지.
따라서 왕의 권한은 신으로부터 부여받은 것이라고 할 수 있지.
로크는 《정부론》의 1부와 2부 서론에서 왕권신수설을 비웃듯이 비판한단다.
타닥 타닥
왕이 신으로 불리는 것은 타당하다고?
흥! 말도 안 되는 엉터리 같으니라고!
필머 경이 주장한 왕권신수설의 근거인 아담의 가부장권을 부정하면서 말이야.
누가 내 글에다가 이런 악플을 달아 놨어?
부글 부글
로크는 가부장권과 국가를 지배하는 권력은 성격이 전혀 다르다고 했어.
가부장권이란 집안에서 아버지로서 가지는 권력인데, 그걸 왜 왕한테 갖다 붙여?
움찔
또한 아담이 그러한 권력을 가지고 있었다고 할지라도 상속될 수 없는 것이라고 반박하고 있지.
이 아비가 죽거든 유산 상속은 엄마와 상의해 보렴.
장자의 권리는 제가 가지는 것 맞죠?
또한 아담이 가지고 있는 그러한 권리를 인정한다고 해도
영국의 왕이 상속자라는 근거는 어디에도 없다고 했어.
오, 나의 ×××대 자손~
민망하니까 옷이나 좀….
저 벌거벗은 사람이 왕의 선조라고?
별로 닮지도 않았는데….
휙
필머 경은 장자 상속의 이론을 주장하는데
장자 상속이란 장남이 아버지의 모든 것을 상속하는 것을 말합니다.

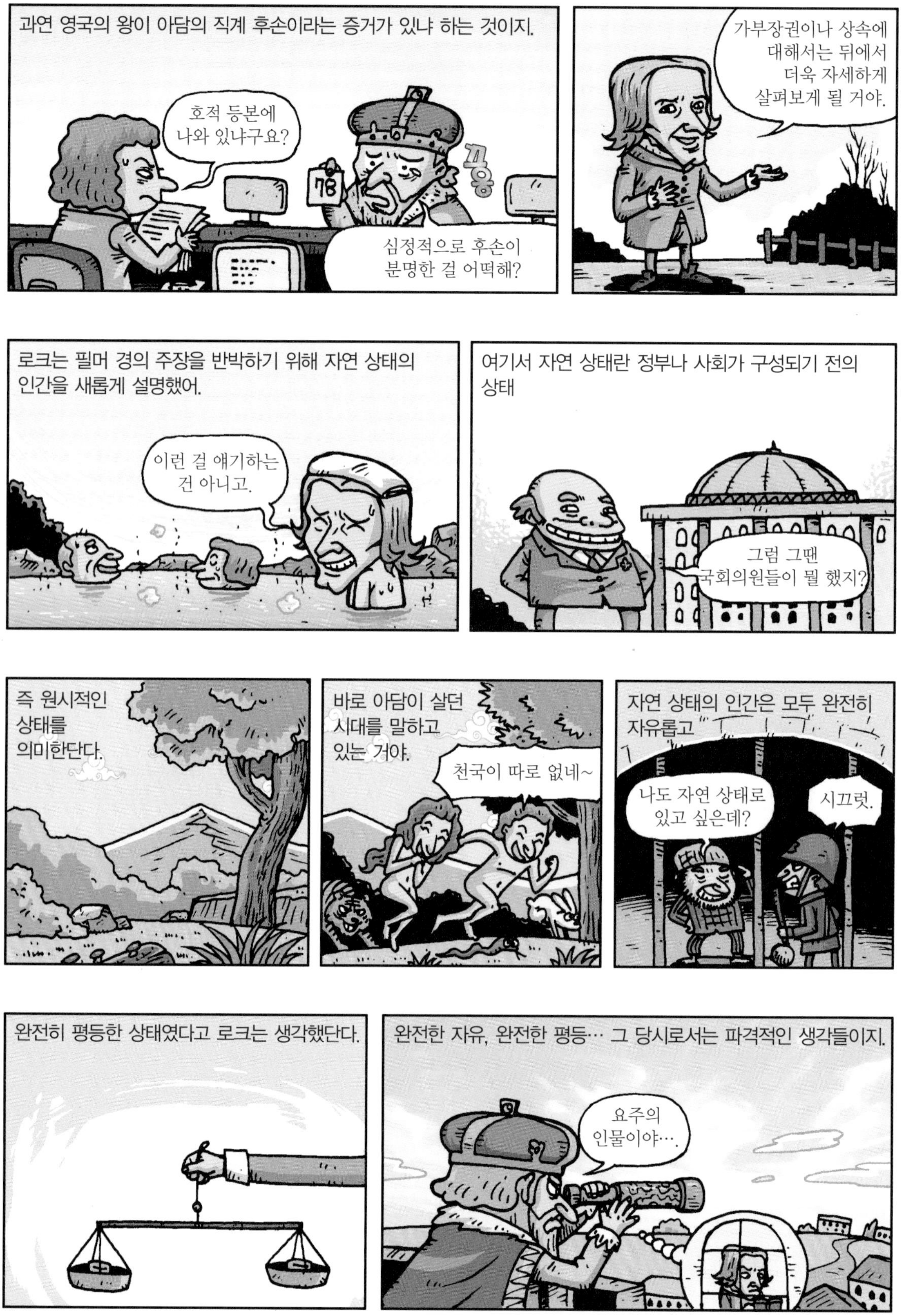
과연 영국의 왕이 아담의 직계 후손이라는 증거가 있냐 하는 것이지.
호적 등본에 나와 있냐구요?
78
심정적으로 후손이 분명한 걸 어떡해?
가부장권이나 상속에 대해서는 뒤에서 더욱 자세하게 살펴보게 될 거야.
로크는 필머 경의 주장을 반박하기 위해 자연 상태의 인간을 새롭게 설명했어.
이런 걸 얘기하는 건 아니고.
여기서 자연 상태란 정부나 사회가 구성되기 전의 상태
그럼 그땐 국회의원들이 뭘 했지?
즉 원시적인 상태를 의미한단다.
바로 아담이 살던 시대를 말하고 있는 거야.
천국이 따로 없네~
자연 상태의 인간은 모두 완전히 자유롭고
나도 자연 상태로 있고 싶은데?
시끄럿.
완전히 평등한 상태였다고 로크는 생각했단다.
완전한 자유, 완전한 평등… 그 당시로서는 파격적인 생각들이지.
요주의 인물이야….

로크는 인간은 본래 아무 구속도 없는 자유로운 상태에서 살고 있다고 생각했어.
오늘 저녁은 뭘 먹지?
들쥐는 지겨워.
누구든지 자기가 원하는 대로 행동하고, 원하는 것을 가질 수 있고, 자유롭게 생각한다고 보았지.
얏호, 사냥 성공~
다다
이건 아무래도… 학생들이 가장 부러워할 것 같은데?
맞아요, 맞아!
우리 학교는 규율이 너무 엄해요.
방송 좀 타 보자.
마음대로 머리도 기르고,
게임도 하고,
놀기도 하고… 헤헤….
SBC
그럼 타임머신을 타고 돌아가든지.
과거로 출발!
그런데 로크는 인간에게 주어진 권리에 대해서만 강조했을까?
물론 그건 아니지!
까닥
로크는 모든 인간이 자유롭고 평등한 상태를 유지하기 위해서는
어째야 하죠?
서로 사랑하는 의무도 가져야 한다고 설명했단다.
우리는 서로서로 사랑하는 한 쌍의 원앙새라네~
로크는 당시 영국의 저명한 신학자인 리처드 후커의 《교회 정치론》을 근거로 하여 다음과 같이 설명했어.
리처드 후커

"본래 나와 평등한 사람들로부터 되도록 많은 사랑을 받고 싶어 하는 나의 욕구는
Merry X-mas
딸랑! 딸랑!
구세균
그들에 대해서도 그와 비슷한 사랑을 베풀어야 한다는 자연적인 의무를 내게 부과한다"고 말이야.
땡그랑
땡그랑~
구세균
간단히 말하면 사랑받고 싶으면 사랑하라는 이야기지.
내가 타인에게 사랑을 베푼다면 나도 그들의 사랑을 기대할 수 있지만
저와 결혼해 주세요~
내가 타인을 공격한다면 나도 타인에게 공격당할 수 있다는 말이기도 하지.
퍽
퍽
로크는 자연 상태를 무정부 상태의 혼돈 상태로 본 것이 아니라
전자마트
와아아아!
ㅋㅋㅋ
무정부 상태란 바로 이런 것?
이성이 지배하는 자유롭고 평등한 상태라고 생각했어.
로크의 이러한 태도는 그의 종교적 태도와 깊은 연관이 있어.
로크는 개신교도였고, 개신교 신앙을 바탕으로 인간이 가지고 있는 자유와 평등에 대한 권리를 생각했는데

그건 바로 그런 권리란 신이 인간에게 준 선물이라는 것이었지.
우린 자유롭고 평등한 존재야~
정말 그럴까?
빨리 그 사과를 먹어 보라니까!
따라서 다른 사람에게 복종하거나, 다른 사람이 나를 지배할 이유가 전혀 없다고 생각했어.
난 복종할 의사가 없다고.
꾹
인간은 신으로부터 부여받은 이성의 능력을 통해
이제 '이성' 만 불어넣으면 완성!
서로 사랑하고 배려하면서 자유롭고 평등하게 살 수 있다고 생각한 거야.
와아
평등하기 때문에 누구의 지배나 통제를 받을 이유도 없다고 생각한 거지.
우리는 이러한 생각을 천부 인권 사상이라고도 한단다.
우리는 모든 사람이 평등하게 창조되었고….
미국 독립 선언문에서도 이 사상을 볼 수 있지.
즉 인간의 권리는 그 누구도 구속할 수 없는, 하늘이 부여한 권리라는 뜻이지.
당시 유럽이 강력한 군주제 체제였고

강력한 신분 사회였다는 것을 고려하면 로크의 주장은 대단히 위험한 생각이었어.
왜 늘 감시당하는 느낌이지?
그래서 처음에는 이름을 감추고 《정부론》을 출판할 수밖에 없었지.
이게 누구야?
글쎄!
앞에서도 말했듯이 로크는 인간의 이성을 신뢰했고
자연 상태란 이성이 지배하는 자유롭고 평등한 상태.
따라서 자연 상태에서 인간들은 서로를 보호해 준다고 생각했어.
다다
어서 119에 전화해.
일단 안에 사람이 있는지 확인해 봐.
또한 인간은 자신의 생명과 소유물에 대하여
으엑, 바퀴벌레 튀김을 수입한다고?
타인의 통제를 거부할 수 있는 자유도 보장되어 있다고 생각했어.
혼자 다 먹으셈~
수입No
인간은 오직 신이 자신의 뜻을 이루기 위해 만든 작품이라고 생각했고
한쪽 눈이 약간 큰가~
인간의 생명과 소유물은 신을 제외한 그 누구도 침해할 수 없다고 생각했어.
실수할까 봐 부담되네….
심지어 자기 자신의 생명조차도 내 마음대로 할 수 없다고 보았지.
자살도 안 돼!
팍
물에 빠진 지갑을 건지려는 거라니까요.

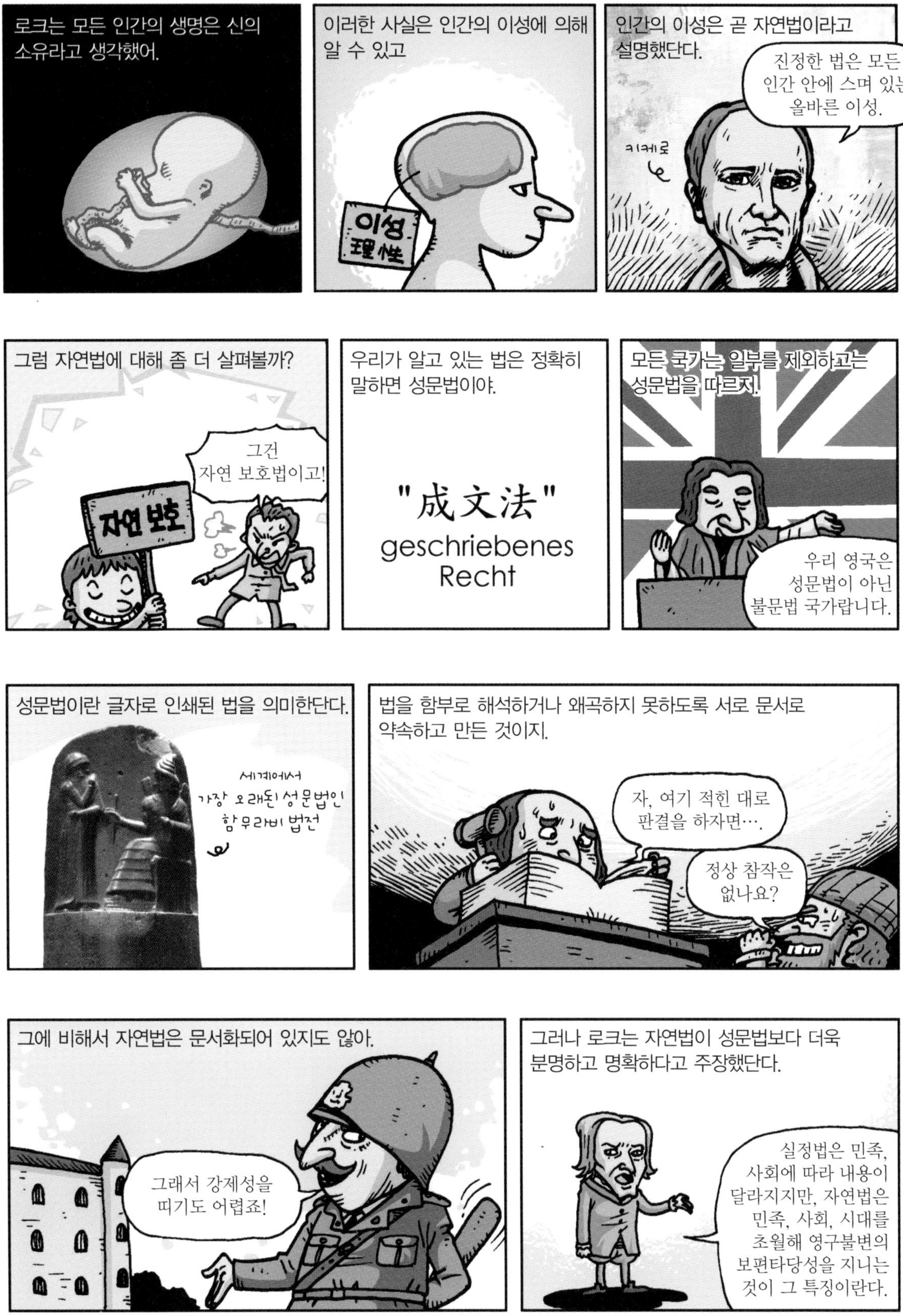

로크는 모든 인간의 생명은 신의 소유라고 생각했어.
이러한 사실은 인간의 이성에 의해 알 수 있고
이성
理性
인간의 이성은 곧 자연법이라고 설명했단다.
진정한 법은 모든 인간 안에 스며 있는 올바른 이성.
키케로
그럼 자연법에 대해 좀 더 살펴볼까?
자연 보호
그건 자연 보호법이고!
우리가 알고 있는 법은 정확히 말하면 성문법이야.
"成文法"
geschriebenes Recht
모든 국가는 일부를 제외하고는 성문법을 따르지.
우리 영국은 성문법이 아닌 불문법 국가랍니다.
성문법이란 글자로 인쇄된 법을 의미한단다.
세계에서 가장 오래된 성문법인 함무라비 법전
법을 함부로 해석하거나 왜곡하지 못하도록 서로 문서로 약속하고 만든 것이지.
자, 여기 적힌 대로 판결을 하자면….
정상 참작은 없나요?
그에 비해서 자연법은 문서화되어 있지도 않아.
그래서 강제성을 띠기도 어렵죠!
그러나 로크는 자연법이 성문법보다 더욱 분명하고 명확하다고 주장했단다.
실정법은 민족, 사회에 따라 내용이 달라지지만, 자연법은 민족, 사회, 시대를 초월해 영구불변의 보편타당성을 지니는 것이 그 특징이란다.

인간의 이성은 자연법의 내용들을 잘 이해할 수 있으며
절도죄가 몇 페이지에 나와 있더라?
그걸 언제 찾아? 내 돈 2만 파운드를 훔쳐 갔으니까, 당장 감옥에….
한발 더 나아가 모든 법은 자연법에 기초한다고 설명했지.
자연법
자연법
자연법
이처럼 로크가 말하는 자연 상태란 마치 천국과 같은 상태를 의미한단다.
와아~
이성을 가진 사람들이 자유롭게 사는 곳이죠.
서로 상대방의 생명과 소유물을 지켜 주려고 노력하고 사랑한다면
어, 형님?
인간 사이의 갈등과 투쟁은 없어질 거야.
형님이 매일 밤 우리 집에 쌀가마를 가져다 놓으셨군요.
너야말로~
과연 이러한 상태가 있었는지에 대하여 의문을 갖는 사람들에게 로크는 자세히 설명하지 않아.
뭐야? 역사상 인간이 이런 자연 상태일 때가 있었나?
로크는 미처 생각하지 못하거나 논증하기 어려운 부분은
어라? 이 부분에서 계속 막히는데….
대충 얼버무리고 넘어가기도 하거든.
어떤 면에서는 인간적이지 않나? 하하….
로크는 자연 상태가 실제로 존재했는지에 대해서는 설명하지 않았어.
흠흠… 어쨌든 다음 설명으로 대신하도록 하겠습니다.
전 세계에 걸쳐 독립된 정부의 모든 군주와 통치자들은 서로 자연 상태에 놓여 있기 때문에

많은 사람들이 그러한 상태에 놓여 있지 않은 세상이란 과거에도 없었고, 앞으로도 결코 없을 것이 명백하다고 주장했지.
그렇고말고….
로크가 보기에 국가와 국가 사이에 갈등이 일어날 경우에는
프랑스 왕에게 선전포고를 하노라. 우리도 어서 전쟁 준비를….
엑?
국가 간의 갈등을 해결할 수 있는 존재가 없다고 생각한 거야.
그래도 지금은 국제 연합(UN)이 있지 않습니까?
지금 우리가 살고 있는 시대도 로크의 생각과 크게 다르지는 않아.
세계 각 지역에서 거의 매일 전쟁이 일어나고
이거야 원~ 하루도 편할 날이 없으니!
쿵
각자의 이익을 추구하려는 움직임이 점점 강해지고 있는 것이 사실이야.
다케시마는 우리 땅~
크크
저 녀석들 틈만 나면….
2003년에 시작된 미국과 이라크 사이의 전쟁은
이와 같은 예를 가장 잘 보여 주는 전쟁이라고 볼 수 있지.
피유우웅
바그다드 남동부로 폭격 시작~ 작전명 '이라크에 자유를!'

전쟁을 시작한 미국은 이라크가 국제 사회의 평화 권고를 따르지 않고
대량 살상 무기를 보유하고 있는 위험한 국가라고 주장하면서 전쟁의 정당성을 주장했지.
이라크는 전 세계의 평화를 위협하는 '악의 축' 입니다.
그러나 전쟁은 미국을 비롯한 연합군의 승리로 싱겁게 끝났고
콰콰 콰
우릴 막는 건 더위밖에 없나?
S. ARMY
이라크 전체를 샅샅이 조사했지만
시리아
이란
요르단
이라크
사우디 아라비아
아직도 이라크가 대량 살상 무기를 소유했다는 증거가 나오지 않고 있어.
부글 부글
점점 자신이 없는걸?
결국 전쟁의 원인은 이라크의 석유를 둘러싼
국제 사회의 이해관계 때문에 일어난 것이라는 주장이 점점 힘을 얻고 있는 상황이야.
그래도 언젠가는 대량 살상 무기가 나오지 않을까?
석유라는 자원을 둘러싼 미국의 욕심이 전쟁을 불러왔다는 거지.
쾅
그래서 미국 내에서도 전쟁을 반대하는 사람들이 늘어나고 있어.
와아~.
와아~.
No WAR!

UN이라는 국제기구가 존재하지만 평화는 쉽게 이루어지지 않지.
전쟁은 지금도 계속되고 있고, 희생자는 계속 늘고 있어.
콰콰콰
로크가 말하는 자연 상태와 거의 같아.
퍽
내가 잡은 거야.
내가 먼저 발견했어.
퍽
모든 국가는 스스로 생존을 지켜야만 해.
스파르타~
300
어때? 자연 상태에 대한 내 주장을 받아들여도 큰 문제는 없어 보이지 않아?
그러나 아무리 인간이 이성을 가지고 있는 것이 분명하다지만
나는 생각한다. 고로 존재한다.
르네 데카르트
누군가 욕심으로 인해 이성이 마비되는 사람이 나타날 수도 있잖아.
인간 이성의 종점엔 전쟁밖에 할 게 없다.*
신이 만든 작품이라고 할지라도 실패한 작품이 있을 수도 있지 않겠어?
에이, 이건 실패야~
아깝다~
파삭
욕심에 눈이 먼 사람이 타인을 공격하여
끄응
달러, 석유, 달러, 석유, 달러, 석유, 달러….

*초현실주의 작품을 많이 그린 벨기에의 화가 르네 마그리트가 한 말.

그 사람의 소유물을 빼앗으려고 할 때는 어떻게 해야 하는 거지?
누가 나를 보호해 줄 수 있을까?
퍽
이랬으면 좋겠지만….
로크가 말하는 자연 상태는 국가도 정부도 존재하지 않는 원시 시대를 상상하면 된단다.
그래도 사람이 살던 때로 자료 화면을 써야지….
땅은 넓고 인구는 지금과 비교할 수 없을 만큼 적은 숫자야.
마을 사람들이 다 모였군.
누구든지 원하는 곳에서 살 수 있고, 농사를 짓든 사냥을 하든
다른 사람과 갈등 없이 살 수 있는 평화로운 세상이지.
올해도 풍년이네.
그러나 어디든지 농사가 잘되는 땅이 있고 안 되는 땅이 있어.
곡식이 전혀 자라지를 못하네….
사냥감이 풍부한 지역도 있고, 부족한 지역도 있지.
부럽다….
남의 떡이 커 보인다는 말을 들어 봤지?
누가 봐도 커 보이잖아?
어쩔 수 없이 충돌이 생길 수밖에 없게 되는 거야.
나도 멧돼지 고기 좀 먹어 보자!
직접 사냥해서 먹으면 되잖앗!

누구나 풍요로운 땅에 욕심을 가질 수 있고, 이러한 욕심이 갈등을 불러오는 거야.
저기서 금광이 발견됐다고?
내가 살던 땅을 다른 사람이 내놓으라고 하는 경우가 생기는 거지.
여기서 나가 줘야겠어.
우리 선조들의 땅인데….
이런 일이 생기면 자연법 속에서 사는 인간은 각자 자신의 생명과 소유물을 스스로 지켜야만 해.
탕
아라라~
금이 있다는 걸 잊지마!
야만인들을 몰아내자!
누가 야만인인지 모르겠네.
자연 상태의 인간은 타인의 공격으로부터 스스로 자신을 보호하고
그 사람의 범죄 행위를 처벌할 수 있도록 자연법으로부터 권한을 받았다고 보았지.
15년 동안 군만두만 먹었다….
다시 말해서 모든 사람은 재판관이 될 수 있다는 얘기야.
지금 우리는 법을 어긴 사람의 재판을 법관에게 맡기고 있지만
징역 8년 6개월에 처한다.
땅
땅
자연 상태에서는 나 스스로 재판관이 되어 나와 관련된 사건을 심판한다는 거지.
몬테크리스토 백작, 에드몽 단테스
약혼식을 망쳐 버리다니, 복수하고 말겠어.
바로 스스로의 이성을 바탕으로 말이야.

즉 누군가 나의 물건을 훔쳤다면 그 사람은 그 물건만큼 배상해야 하고
젖소 한 마리를 훔쳤으니, 다른 젖소 한 마리로 배상하겠소.
살진 젖소를 훔쳐 가서 이렇게 비쩍 마른 젖소로 배상하다니, 말이 돼!
움머..
남의 생명을 빼앗았다면 자신의 생명을 내놓아야 한다는 것이지.
어때? 단순하지만 분명한 법이지?
자연 상태에서 처벌의 목적은 배상을 하고, 범죄를 억제하는 거야.
함무라비
눈에는 눈,
이에는 이…
로크가 생각하는 자연 상태에서는 손해를 당한 사람이
끼이이익
으앗!
쾅
가해자에 대하여 자신의 손해를 배상받을 권리를 가져.
자동차 수리비하고 치료비 물어내!
또한 범죄를 저지른 사람을 처벌할 권리는 모든 사람에게 주어지지.
왜냐하면 범죄를 처벌할 수 있는 재판관이 따로 존재하지 않으므로
파닥
고담 시에는 내가 있건만….
모든 사람이 함께 범죄를 막아야 하기 때문이야.
자율 방범대를 만들자.

로크는 이런 권리가 없다면
자연법은 의미가 없어진다고 했어.
범죄를 저지르는 사람을 막지 못하면 법이 없는 것과 마찬가지니까!
로크가 말하는 자연 상태는 정부만 존재하지 않을 뿐, 법은 존재하는 거지.
그런데 과연 인간이 자연법에 따라서 살게 되면 아무 문제가 없을까?
그… 글쎄요?
혹시 범죄자에 대하여 너무 지나치게 처벌하지는 않을까?
내 구두를 훔쳐 갔으니, 넌 평생 맨발로 걸어 다녀~
너무해~
로크도 이 점을 의식해서 다음과 같이 이야기했단다.
물론 여러분이 염려하는 바가 뭔지 알고 있으므로….
사람들이 자신과 관련된 사건에서 스스로 재판관이 될 수 있다면
팟
판사로 변신!
복수심이나 이기심 등으로 인해 지나친 처벌을 할 가능성이 있으므로 매우 걱정스럽다고 말이야.
오줌싸개라고 놀렸다고 내 집에 불을 지르다니….
나와 관련된 문제라면 나에게 유리하도록 편파적으로 판결할 가능성이 크고
끼익
나의 친척이나 친구와 관련된 경우에도 그럴 수 있지 않겠니?
아빠가 제 저금통에서 돈을 가져갔나요?
어, 미… 미안.

뭐? 여러분은 절대로 편파적으로 판단하지 않고, 공정하고 정의롭게 할 자신이 있다고?
글쎄….
하지만 로크는 군주 제도에 비하면 자연 상태가 오히려 낫다고 주장했어.
이런 상황이 생길 수도 있어서 말이야.
오히려 잘못된 군주가 나타나면
그가 가진 엄청난 권력이나 힘으로 인해 모든 인간이 큰 고통을 당할 수밖에 없기 때문이야.
모든 인간들을 암흑 속으로….
로마 황제 네로와 같은 역사 속의 폭군들을 상상해 보면 로크의 이런 주장에 고개가 끄덕여질 거야.
로마 제5대 황제 네로
자신의 어머니와 아내를 비참하게 죽이는 군주…
이러라고 너 왕 만들어 줬는 줄 알아?
자신의 쾌락을 위해 로마 전체를 불 지르는 군주에게
저 광경을 보니 시상이 떠오르는군.
활활
로마는 불타고 있는가 어쩌고 저쩌고 하겠지, 뭐….
자신의 소중한 생명과 재산을 맡기고 싶은 사람은 없겠지?
자, 잠깐. 난 그래도 재위 초기에는 훌륭한 업적도 많이….
이제 자연 상태, 자연법에 대해 이해하겠지?
아, 예….
모든 인간이 평등하고 자유롭게 살며

자신과 자신의 소유물에 대한 절대적인 권한을 가지고 있는 상태.
내 보물….
그 누구의 지배도 받지 않는 세상.
그럼 도대체 왕들은 누굴 지배하지?
그리고 모든 사람이 재판관이 될 수 있는 권한을 가지고 있는 세상. 이것이 바로 자연 상태의 세상이야.
옷이 다 똑같잖아?
후후
어때요? 괜찮은 세상 같나요?
그래도 인간 사회가 그렇게 평화로울 수 있을까 의심이 생기지?
앞에서 지적한 것처럼 인간은 욕심을 가지고 있고
으앗, 저게 뭐야?
이러한 욕심 때문에 타인을 공격하거나
네 이놈, 흥부야. 어째서 너희 집에만 이런 박이 열린 거야?
타인을 지나치게 처벌할 가능성이 있어 보이니까 말이야.
수청을 안 든다고 이런 처벌을….
훌쩍
몽룡님.. 빨리 오세요…
로크는 이러한 상태를 '전쟁 상태' 라고 이야기했단다.
바로 이것 때문에 사회가 만들어지고 정부가 만들어진다고 설명하고 있지.
자, 그렇다면 이제부터 '전쟁 상태' 란 무엇인지 알아보자고!

TWO
TREATISES
OF
Government:
ESSAY
CONCERNING THE
True Original, Extent, and End
OF
Civil Government.
LONDON,

성문법과 불문법

▲최초의 성문법인 함무라비 법전

함무라비 법전은 현존하는 성문법 중 가장 오래되었으며, 지금의 법체계와 가장 유사한 법전입니다. 최근 몇 년간 혼란에 빠져 있는 이라크의 조상인 바빌로니아인들이 만들어 낸 훌륭한 문화유산이죠. 그러면 성문법이란 무엇일까요?

성문법은 말 그대로 문자로 정형화된 법을 의미합니다. 우리가 흔히 아는 헌법, 법률, 규칙, 조례 등이 모두 성문법의 한 종류죠. 지금은 대부분의 국가에서 성문법을 법의 근간으로 사용하고 있습니다.

불문법이란 성문법이 등장하기 이전에 존재했던 법체계입니다. 관습이나 경험에 의지하여 통치자의 의지에 따라 법을 집행하는 것이 특징입니다. 유명한 솔로몬의 재판이 대표적인 경우일 겁니다. 현명한 통치자나 재판관의 판단에 의지하며, 대부분 관습을 따릅니다. 국가가 성립하기 이전부터 사회를 유지하기 위한 장치로서 법이 필요했는데 불문법은 중요한 위치를 차지한 법이죠.

쉽게 예를 들자면 '교통 위반을 하면 범칙금을 낸다.' 는 것은 법전에 명시된 성문법입니다. 반면 '한국의 수도는 서울이다.' 라는 것은 헌법에 명시되어 있지는 않지만 오랜 세월 살아오며 사람들 마음속에 새겨진 관습법이죠.

성문법이 등장하면서 대부분의 국가에서 불문법보다는 성문법을 중시하였습니다. 이 둘의 장단점을 비교해 보면 그 이유를 알 수 있죠. 성문법은 명확한 법률의 근거를 제시할 수 있으며, 일관된 법 집행이 가능하고, 언제 어디서나 예상된 결과를 가져오므로 일반인들에게 신뢰를 얻을 수 있습니다. 그러나 사회에서 발생하는 다양한 상황에 효과적으로 대응하기 어렵고, 시대의 변화를 그때그때 반영하기 힘든 단점이 있습니다. 반면에 불문법은 효율적인 대처가 가능하고, 시대의 변화에 쉽게 적응하는 장점이 있습니다. 그러나 법의 안정성이 부족하고 같은 국가 안에서도 서로 다른 법률적 판단이 내려질 수도 있어 공정성에도 문제가 있습니다. 그래서 성문법과 불문법은 서로 보완하며 성문법을 기본으로 하는 현재에도 불문법은 존재 가치를 지니고 있습니다.

▲ 로마법을 집대성하여 로마법 대전을 만든 유스티아누스 대제

법률을 공부하는 사람들은 대륙법과 영미법이란 용어를 흔히 사용하는데 이 또한 성문법, 불문법과 깊이 연관되어 있습니다. 대륙법은 주로 독일의 법을 가리키는데, 독일인들은 불명확한 것을 신뢰하지 못하는 성향이 강해서 분명하고도 명확한 성문법을 선호합니다. 반면에 영국과 미국인들은 불문법을 선호하는 경향이 강해서 미국에서는 아직도 배심원 제도가 유지되고 있지요. 물론 미국에서도 점차 성문법을 중시하는 경향이 강해지고 있는데, 이는 법의 통일성과 안정성이 점차 강조되고 있기 때문입니다.

법률은 국민의 안전과 행복을 지키는 파수꾼의 역할을 합니다. 이러한 법률이 문서화되어 있는지 여부에 따른 구분이 바로 성문법과 불문법의 차이입니다. 문서로 되어 있든 관습으로 되어 있든 중요한 것은 법률을 지키는 것입니다. 그래야만 모두가 안심하고 사회생활을 해 나갈 수 있을 테니까요.

제4장 전쟁 상태에 대하여

역사를 공부하다 보면 무수히 많은 전쟁을 볼 수 있단다.
쾅
와아

앞에서 우리도 장미전쟁, 백년전쟁을 통해 역사를 살펴보았지?
내가 왕이 될 거야.
무슨 소리, 나야말로 왕이 될 사람.

전쟁은 인간의 이기심과 욕심이 가장 크게 폭발한 상태라고 할 수 있는데
콰르릉

또한 이러한 전쟁을 통해 많은 변화가 일어나기도 하지.
사회로 보나 개인으로 보나…

영국의 의회와 민주주의 발달 과정에서도
이러한 전쟁의 역할을 알 수 있었어.
앞서 얘기한 장미전쟁의 시작은 백년전쟁의
후유증으로부터 그 이유를 찾을 수 있지.
장미전쟁은 한마디로 백년전쟁의 결과가 안 좋았기 때문에 누군가는 책임을 져야 했고, 그 과정에서 살아남기 위해 귀족들끼리 벌인 전쟁이야.
그 중심에는 랭커스터 가문과 요크 가문이 있었어.
랭커스터 가
요크 가
어쨌든 이 장미전쟁을 간단히 말하면, 생존을 위한
권력 투쟁이었다고 할 수 있지.
요크 가문이야말로 왕이 될 자격이 충분해.
말도 안 되는 소리!
잘들 논다.
프랑스랑 전쟁이 끝나니 지들끼리 싸우는군.
전쟁이란 이렇게 상대방을 죽이고 나를
살리려는 태도가 밑바탕이 되는 거야.
톡
생존은 워낙 절실한 문제이기 때문에 상대방에 대한
배려를 기대할 수 없는 상태란다.
콱
궁지에 몰린 쥐 맛 좀 볼래?
꺄아옹~
로크가 말하고자 하는 전쟁 상태는 바로 이런 거야.
펑
펑

로크는 《정부론》을 통해 전쟁 상태에 대한 정의를 다음과 같이 설명했어.
전쟁 상태
만약 누군가 나에게 싸움을 걸어 온다면?
이히히호~
방 방
자신을 위협하는 늑대나 사자를 죽이는 것이 허용되는 것과 같이 자기에게 적의를 나타내는 사람을 파괴하는 것은 허용되지.
왜냐하면 그런 사람은 이성이라는 공통의 법을 지키지 않고
두 두 두
힘과 폭력의 규칙만을 가지고 있어서 맹수나 다름없기 때문이야.
그, 그런 사람은 위험하고도 해로운 존재라는 얘기….
이러한 이기심과 욕심을 가진 존재가 나를 공격하는 상태가 바로 '전쟁 상태' 란다.
발 발
까불고 있어.
전쟁 상태란 다름 아닌 적대와 파괴의 상태를 말하는 것이고
그것은 이성을 가지고 있는 인간이 냉정한 정신 상태에서 상대방에게 공격할 의사를 밝히는 거야.
적국에서 선전 포고를 해 왔다.
내일 아침에 공격해 올 거래.
이런~ 잠도 못 자게….
로크의 전쟁 상태를 토머스 홉스의 사상과 비교하면 좀 더 분명하게 이해될 거야.
난 로크와는 달리 자연권을 제한하고 전제 군주제를 하자고 주장했지. 전제 군주제가 가장 이상적인 국가 형태라고 생각했단다.

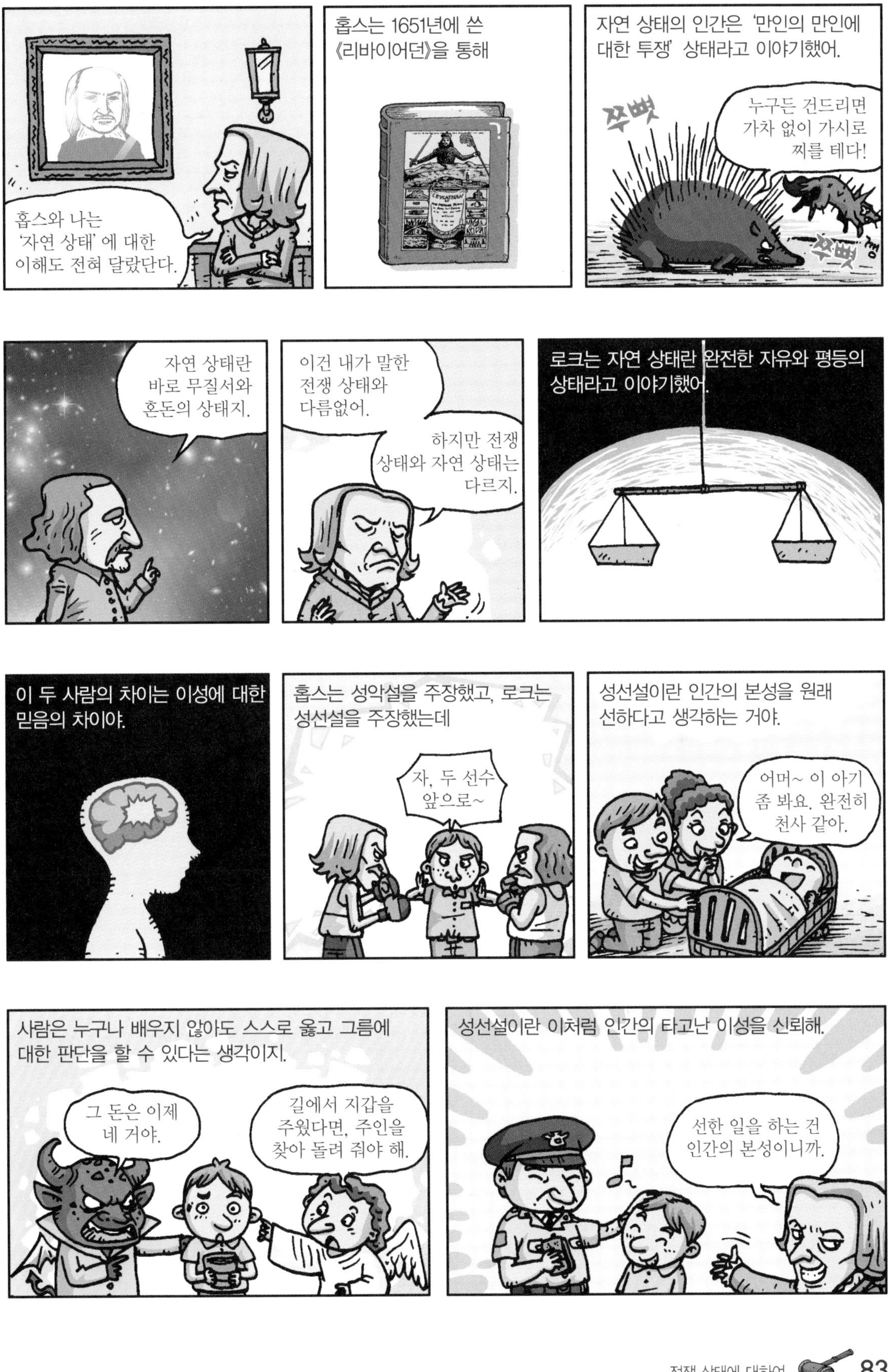

홉스와 나는
'자연 상태'에 대한
이해도 전혀 달랐단다.
홉스는 1651년에 쓴
《리바이어던》을 통해
자연 상태의 인간은 '만인의 만인에 대한 투쟁' 상태라고 이야기했어.
쯔뻑
누구든 건드리면
가차 없이 가시로
찌를 테다!
쯔뻑
깽
자연 상태란
바로 무질서와
혼돈의 상태지.
이건 내가 말한
전쟁 상태와
다름없어.
하지만 전쟁
상태와 자연 상태는
다르지.
로크는 자연 상태란 완전한 자유와 평등의 상태라고 이야기했어.
이 두 사람의 차이는 이성에 대한 믿음의 차이야.
홉스는 성악설을 주장했고, 로크는 성선설을 주장했는데
자, 두 선수
앞으로~
성선설이란 인간의 본성을 원래 선하다고 생각하는 거야.
어머~ 이 아기
좀 봐요. 완전히
천사 같아.
사람은 누구나 배우지 않아도 스스로 옳고 그름에 대한 판단을 할 수 있다는 생각이지.
그 돈은 이제
네 거야.
길에서 지갑을
주웠다면, 주인을
찾아 돌려 줘야 해.
성선설이란 이처럼 인간의 타고난 이성을 신뢰해.
선한 일을 하는 건
인간의 본성이니까.

프랑스의 낭만주의 철학자 장자크 루소 역시 로크와 마찬가지로 성선설을 주장했고
성인이 어린이를 그르치지 않는다면, 착하고 친절하며 민주적인 방향으로 자연히 성장할 것입니다.
주르륵
동양에서는 맹자가 성선설을 주장한 대표적 인물이지.
중국 추나라 출신인 나는 도덕 정치인 왕도를 주장하기도 했지….
그에 반해 성악설이란 인간이 흰 도화지와 같은 백지 상태로 태어난다고 생각하는 거야.
인간은 동물과 같은 본능을 가지고 있고
이러한 본능 즉 욕구를 다스리기 위해서는 교육이 필요하다고 생각하는 것이 성악설이야.
가르침을 통해서 인간이 올바른 행동과 판단을 할 수 있다는 생각이지.
아담과 하와가 선악과를 따먹음으로써, 인간은 악하고, 충동적인 본성을 가지고 태어나게 되었습니다.
동양에서는 순자가 성악설을 주장하는 대표적 인물이란다.
중국 전국 시대 말기의 사상가인 나는 예의로 사람의 성질을 교정할 것을 주장했단다.
로크는 인간의 이성에 대한 믿음, 즉 성선설을 믿었기 때문에 자연 상태의 인간들은 이성에 따라서 행동할 것이라고 생각했어.
나는 이런 인간의 이성이 곧 자연법이라 보았지.
로크가 보기에 인간은 이성을 지닌 동물이야.
와아아아….
우, 우리 이성적으로 말로 하자고.

따라서 타인의 권리를 함부로 침해하거나 남의 것을 함부로 빼앗지 않는다는 신념을 가지고 있었지.
우리 모두 사이좋게 똑같이 나눠 갖자고.
그러나 로크는 동시에 인간의 이기심이나 욕심이 존재한다는 사실을 인정했단다.
움찔
이 매머드를 잡는 데 내가 가장 큰 공을 세웠다고. 이 사냥감은 내 거야.
모든 사람이 이성을 바탕으로 한 자연법에 따라 행동하지는 않을 거라고 생각한 거야.
흐흐
다같이 힘을 합쳐서 잡은 건데….
바로 이것 때문에 자연 상태가 전쟁 상태로 바뀌게 되는 거죠.
시끄럿~
퍽
자, 그럼 여러분들도 한번 생각해 볼까?
어떤 사람이 나를 노려보면서 이렇게 말했다면 우린 어떻게 할까?
이제부터 내가 너를 공격할 거야.
그리고 네 물건도 전부 빼앗을 거고.
어쩌면 널 죽일지도 몰라.
당연히 가만히 당하고 있지는 않겠지?
뭐, 뭐라고? 날 죽이겠다고? 그렇다면….
덜덜
경찰에 신고할 수도 있고
네, 누가 당신을 위협하고 있다고요?

지나가는 사람에게 구원을 요청할 수도 있고
흐흐..
저 좀 살려 주세요~
??
이도저도 안 된다면 자기 힘으로 상대방을 막아 내려고 노력할 거야.
아무도 도와 주지 않겠다면 나라도….
불끈
뭐 하니? 지금...
누군가 나를 공격할 것이 분명하다면 일단 막고 봐야 해.
로크는 법원이나 경찰이 존재한다고 해도 만약 생명을 잃는다면 아무 소용이 없다고 생각했어.
저런, 우리가 좀 늦은 모양이야.
누군가에게 호소할 시간적 여유가 없을 수도 있거든.
경찰
경찰은 항상 여러분의 3분 거리에 있습니다.
생명을 잃는다면 그 무엇으로도 보상할 수 없는 상태가 되므로
그런 상황이 일어나지 않도록 최선을 다해 방어할 수 있는 권리가
이 도둑놈~ 내 집에 한 발짝이라도 들어오기만 해 봐.
자기 자신에게 주어져 있다는 것이 로크의 자연법 사상이야.
그래서 미국은 아직도 개인의 총기 소유가 합법인 거죠.
자연법에 따르면 나를 공격하는 사람에 대한 재판권은 바로 나에게 있어.
法
땅땅
만약 내 물건을 가져갔다면 그만큼의 배상을 해야 하고
도둑이야!

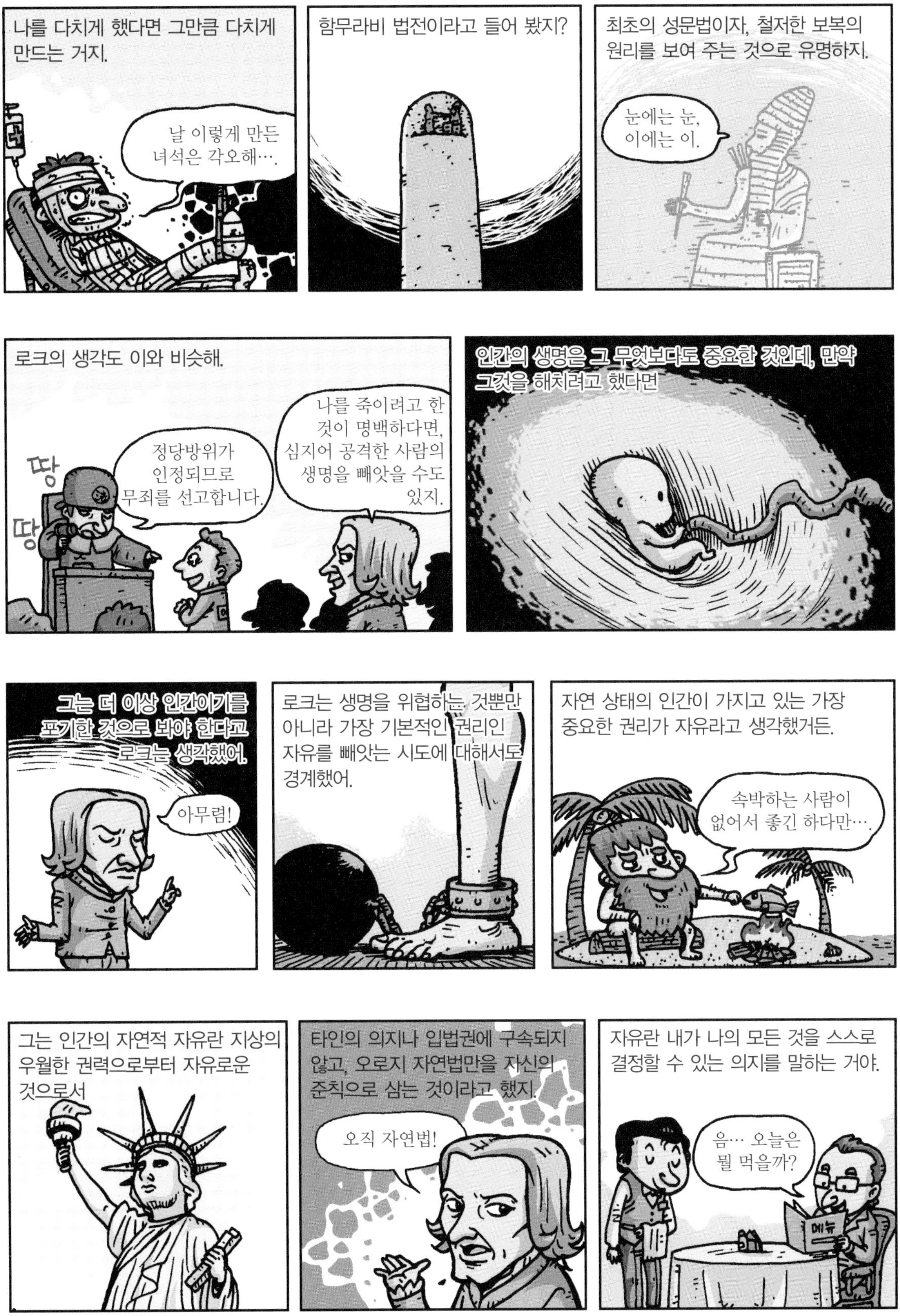

나를 다치게 했다면 그만큼 다치게 만드는 거지.
날 이렇게 만든 녀석은 각오해….
함무라비 법전이라고 들어 봤지?
최초의 성문법이자, 철저한 보복의 원리를 보여 주는 것으로 유명하지.
눈에는 눈, 이에는 이.
로크의 생각도 이와 비슷해.
땅
땅
정당방위가 인정되므로 무죄를 선고합니다.
나를 죽이려고 한 것이 명백하다면, 심지어 공격한 사람의 생명을 빼앗을 수도 있지.
인간의 생명은 그 무엇보다도 중요한 것인데, 만약 그것을 해치려고 했다면
그는 더 이상 인간이기를 포기한 것으로 봐야 한다고 로크는 생각했어.
아무렴!
로크는 생명을 위협하는 것뿐만 아니라 가장 기본적인 권리인 자유를 빼앗는 시도에 대해서도 경계했어.
자연 상태의 인간이 가지고 있는 가장 중요한 권리가 자유라고 생각했거든.
속박하는 사람이 없어서 좋긴 하다만….
그는 인간의 자연적 자유란 지상의 우월한 권력으로부터 자유로운 것으로서
타인의 의지나 입법권에 구속되지 않고, 오로지 자연법만을 자신의 준칙으로 삼는 것이라고 했지.
오직 자연법!
자유란 내가 나의 모든 것을 스스로 결정할 수 있는 의지를 말하는 거야.
음… 오늘은 뭘 먹을까?
메뉴

그런데 자유를 빼앗긴다면
이빨 튼튼하고 근력이 센 노예 싸게 팝니다.
그 사람은 언제든지 나의 생명까지도 자신의 의지에 따라 빼앗을 수도 있게 되겠지?
질 질
이제 네 목숨은 주인인 내 것이다.
따라서 자유는 생명과 같은 것이고, 자유를 빼앗으려는 사람과는 전쟁 상태가 시작되는 거야.
와아—
와
자유가 아니면 죽음을!
예를 들어 우리가 자유가 없는 상태라고 생각해 봐.
누군가에게 나의 기본적인 권리를 빼앗기고 그의 의지대로 따라야만 한다면 어떻게 될까?
어때? 이제는 이몽룡을 포기하고 내 말을 듣겠느냐?
시끄럽소.
너희들 혹시 '마루타'라는 말 들어 봤니?
마루타란 통나무란 뜻이죠.
일본이 우리나라를 식민지로 만들고 중국과 전쟁을 하면서 생체 실험을 했는데
그 당시 실험의 대상으로 삼았던 사람들을 마루타라고 한단다.
주로 항일 운동과 관련된 사람들이 대상이었죠.
일본은 이들을 상대로 아주 잔인한 실험을 했어.
덜
덜

살아 있는 사람에게 위험한 세균을 주사하고 며칠이나 생존하는지를 관찰하는가 하면
자, 이제부터 이 실험체의 상태를 보고 토론을 해 보자고.
총알 하나로 몇 사람을 관통시킬 수 있는지 따위의 실험도 서슴지 않았지.
철컥
이들이 이런 실험을 당할 수밖에 없던 이유는 자유를 빼앗겼기 때문이야.
점령군이라고 이런 끔찍한 짓을 저지르다니….
따라서 로크는 당연히 인간들이 절대 권력을 받아들이지 않을 거라고 생각했지.
나는 신으로부터 선택받은 사람이니, 내가 말하는 것이 법이요 진리….
웃기네~
아, 짜증나.
왜냐하면 로크는 절대 권력은 언제든지 나의 자유 의지를 억누르거나
부들
부들
강력한 힘을 사용하여 나의 의지와 반대되는 행동을 강요할 위험성이 있다고 보았기 때문이야.
이 정신 나간 말이 어디로 달리는 거야?
두두두
거긴 벼랑이라고!!
절대 권력을 가지고 있는 자도 사람이므로 완전한 존재가 아니며
끄응~ 변비가….
자신의 이기심과 욕심을 이겨내지 못할 수 있으니까.
로마는 불타고 있는가~
활활
그런데 사람들이 과연 전쟁 상태에서 정당하게 판단하고 가해자를 재판할 수 있을까?
척
P.O.W

나를 공격한 사람에 대해 아무 감정도 없이 담담하게 판결을 하기는 쉽지 않아.
그래서 로크는 모든 사람이 공정한 재판관 역할을 하지는 않는다고 생각했어.
타인을 공격하는 사람도 생길 수 있지만
BUS
샥
헤헤, 실례~
지나치게 자신을 방어하는 사람도 있을 수 있다고 보았지.
어디서 새치기야?
탁탁
그래도 이건 너무해~
쉽게 말하면, 인간은 욕심도 있고 이기적인 마음도 가지고 있기 때문에
이건 내가 먼저 집었어.
무슨 소리, 내가 먼저라고.
밀지 마~
바겐세일 80%
나를 공격한 사람에 대해 피해 이상의 배상을 요구하거나
CLE
당신들이 내 양복 바지를 분실했으니 5,400만 달러를 변상해.
엑?
지나치게 엄격한 처벌을 할 수 있다는 거야.
이렇게 되면 가해자는 불만을 가지게 되고, 자신의 잘못을 생각하기보다 복수심을 가지게 될 수도 있어.
이런 악순환이 계속되면 전쟁 상태는 끝날 수 없고

인간 세상은 홉스가 이야기한 투쟁 상태가 되어 버리는 거야.
인간은 인간에 대해 늑대이다 (homo homini lumps).
자연 상태에서는 이런 경우에 가해자와 피해자만이 존재하기 때문에
할머니 입은 왜 그렇게 커요?
그거야 너를 잡아먹기 위해서 아니겠니?
공정하게 판결을 내릴 수 없는 경우가 생길 수 있다고 본 거지.
오직 하늘에 호소하는 방법만 남게 되는 거야.
이렇게 되면 자연 상태는 더 이상 유지되기 힘들어.
인간의 이성을 바탕으로 서로의 자유와 평등이 지켜져야 하는데
복수에 복수가 거듭되고 서로 공격하는 상황이 된다면 동물의 세계와 다를 게 없거든.
크르르
사람이 동물이랑 다른 점이 뭔데?
로크는 바로 이것 때문에 사람들이 자연 상태에서 벗어나 사회를 구성한다고 보았어.
하늘에 호소하기보다는 모든 사람이 인정할 수 있는 권력을 누군가에게 부여하고
투표소
그 사람의 보호를 받기를 원하는 사람들이 사회를 만든다고 생각했지.

이러한 전쟁 상태를 피하기 위해 사람들은 사회를 결성하고, 자연 상태를 떠나는 것이란다.
왜냐하면 호소를 통해 구제를 기대할 수 있는 권위, 곧 지상의 권력자가 있는 곳에서는
전쟁 상태의 지속이 배제되고 분쟁이 그 권력에 의해 해결되기 때문이야.
UN
물론 지금까지 완전한 자유와 평등을 누리고 있던 사람들은
야호~
부아아앙!
이제부터 누군가의 명령을 들어야 하고, 자신의 권리를 제한하는 것을 인정해야 하지만
과속입니다. 벌금은 관할 구청에 내세요.
싼 걸로…
대신에 자신의 생명과 재산, 자유를 안전하게 지킬 수 있게 된 거지.
주차금지
외부 차량 주차시 경고 조치함
—주인백
사회를 만든 이유는 오직 이것 때문이란다.
권위를 가진 재판의 결과를 가해자와 피해자가 모두 받아들이면, 이제 전쟁 상태는 끝나게 되지.
피고는 원고에게 한 달 안에 모든 피해 금액을 변상하세요.
탕
넹..
비록 사회를 구성했고, 자연 상태의 권리를 일부 넘겨주기는 했지만
POLICE
로크는 여전히 모든 인간은 자신이 따르기로 동의한 것 이외에는, 자연 상태에서와 다름없는 권리를 가지고 있다고 생각했어.
인간은 자신의 생명과 재산, 자유를 보장받기 위한 안전 장치를 만든 것이지, 자신의 모든 것을 맡긴 것은 아니니까.

사회를 만들게 되면 앞에서 이야기한 전쟁 상태
끼이 이… 쾅
으앗~
즉 누군가 나를 공격하거나 나의 것을 빼앗으려 할 때에
씩 씩
운전을 어떻게 하는 거얏?
당신이야 말로!
쉬이…
공정한 재판을 기대할 수 있게 되겠지.
흥~ 당장 경찰을 부르겠어.
누가 무섭대?
이제는 나 스스로 나의 생명과 재산, 자유를 지키지 않아도 되는 거야.
자, 저희가 공정하게 조사하겠소.
문제는 우리의 권리를 넘겨받은 사람들이 올바로 행동하느냐 하는 것이지.
어, 너는?
삼촌?
저, 정말 공정할 수 있을까?
중요한 사실은 사람들이 사회를 구성하면서 권력을 넘겨주기는 하지만, 그 권력이 **제한된 권력**이라는 것이야.
로크는 권력이 제한적이지 않다면 자연 상태보다 더욱 위험해진다고 보았어.
흥
이 장면에 왜 나를 등장시키는 거야?
자연 상태에서는 모든 개인이 평등한 상태이고 자유로운 상태이기 때문에
전쟁 상태가 된다고 해도 일대일의 다툼이거나 소규모 집단을 상대로 하면 되겠지만
쉬이…

사회가 구성되어 사람들로부터 그 권력을 위임받은 집단이 생기게 되면
온 독일 국민이 나를 지지하는군.
이들은 자연 상태의 인간에 비해 막대한 힘을 가지게 되고,
이런 힘을 바탕으로 개인의 생명이나 재산, 자유를 침해할 가능성도 있기 때문이야.
이렇게 되면 또다시 전쟁 상태가 시작되는 것이지.
와아―.
우리에게 자유롭게 말할 수 있는 권리를 달라.
펑
펑
저 녀석이 주동자로군.
POLICE
POLICE
POLICE
이때 개인은 물론 무력해질 수밖에 없겠지.
자기 생각에 반대하면 무조건 잡아넣는군.
독재자 같으니라고.
힘의 차이가 너무도 크니까 어쩔 수 없이 당하게 될 거야.
노인 연금을 확대하라!
저 노인들을 막으려고 우리가 이렇게 다 출동할 필요 있나?
이런 상태에서는 개인은 사회를 구성하기로 했던 목적이 사라진 것이기 때문에
시민이 낸 세금으로 유지되는 단체가 시민을 공격하다니….
다시 자연 상태로 돌아가게 되는 거야.
모든 사람이 자유롭고 평등하지만 불안을 내포한 상태로 말이야.
로크는 이러한 일이 생기지 않도록 처음부터 권력은 사람들이 일시적으로 위임한 것이며
이 무적의 칼과 방패는 잠시 빌려주는 것임을 잊지 말게.

오로지 사람들의 생명과 재산, 자유를 지키기 위해 사용되어야 한다고 못 박았어.
쏴애액
한마디로 절대 권력의 등장을 경계한 거지.
로크가 말하고 싶었던 것은 인간은 누군가에게 절대 권력을 허용할 수 없다는 거야.
인간에게는 그러한 권리가 아예 없다고 생각해!
콱
앞에서도 지적했듯이 독실한 개신교도인 로크에게는 당연한 생각이었지.
신이 부여한 권리를 인간이 다른 사람에게 양도할 수는 없으니까 말이야.
아무렴, 이 권리는 선천적인 것이라고.
다시 한 번 말하지만 위임받는 권력은 오로지 사람들의 안전과 행복을 지키기 위해서만 사용될 수 있단다.
이는 사회를 구성하는 중요한 이유이기도 하지만, 사회가 해체되는 가장 중요한 이유가 될 수도 있어.
누군가 나의 자유와 생명, 재산을 빼앗으려고 한다면 전쟁 상태는 시작돼.
쿠쿠 쿵.
로크는 전쟁 상태를 설명함으로써 우리가 가진 소중한 권리는 어떤 경우에도 빼앗을 수 없다고 거듭 강조했어.

토머스 홉스

▲ 토머스 홉스

토머스 홉스(Thomas Hobbes, 1588~1679)는 영국의 철학자이자 정치학자입니다. 그는 미숙아로 태어났는데, 에스파냐 함대가 쳐들어온다는 말을 듣고 그의 어머니가 전전긍긍한 나머지 조산했기 때문이라고 합니다. 홉스는 나중에 자신의 불안한 정서에 대해 '두려움과 나는 쌍둥이다.' 라고 말했다고 합니다. 그는 날카롭고 공격적인 저술가였으며, 유달리 독창적인 사상가였습니다. 홉스가 살았던 시대는 청교도 혁명 시대입니다. 정치적으로 매우 심한 변화를 경험하였고, 이러한 경험은 그에게 많은 영향을 줄 수밖에 없었죠.

홉스는 프랜시스 베이컨의 영향을 받아 유물론과 기계론적인 세계관을 가지고 있었으며, 자신이 살고 있는 시대의 모순을 해결하기 위해 고민했던 철학자였습니다. 17세기 영국은 큰 혼란에 빠져 있었고, 홉스는 이러한 정치적 상황을 '만인의 만인에 대한 투쟁' 이라는 말로 표현해 자연법 사상의 창시자로 인정받습니다.

홉스는 국가 성립 이전에 자연 상태가 존재하였으며, 자연 상태에서 인간들은 이기적이고 폭력적인 본성을 가지고 있다고 보았습니다. 인간은 모두 평등한 상태에서 태어났고 비슷한 욕구를 가지고 있기 때문에, 서로 충돌할 수밖에 없다고 생각한 것이죠. 이러한 상태에서 인간은 안전을 보장받지 못하기 때문에 보다 우월한 힘을 가진 제3자가 필요했고, 그것이 바로 국가라는 것입니다.

LEVIATHAN
Or
THE MATTER, FORME
and POWER of A COMMON-
WEALTH ECCLESIASTICALL
and CIVIL
By THOMAS HOBBES
of MALMESBURY.
▲《리바이어던》

그 당시 대부분의 사람들은 국가의 근원을 신으로부터 찾았습니다. 그러나 홉스는 국가란 '개인과 개인의 계약'에 의해 탄생한 것이라고 주장해, 국가라는 존재를 신의 영역에서 인간의 영역으로 끌어내렸습니다. 그는 국가를 '리바이어던(Leviathan)'이라고 표현했습니다. 리바이어던은 구약 성서에 등장하는 영원한 생명을 지닌 괴물입니다. 국가를 이렇게 표현한 것은 혼란에 빠진 영국에 평화와 번영을 가져오기 위해서는 교회 권력이 가진 힘을 제한하고 왕에게 절대 권력을 부여함으로써 국가가 발전할 수 있다고 보았기 때문입니다. 홉스에게 중요했던 것은 국가가 강력한 힘을 가지고 개인의 안전을 보장하는 것이었습니다. 따라서 국가를 지배하는 왕에게 절대적인 권력을 주어야 한다고 생각했던 것입니다.

이러한 독특한 사상 때문에 그는 당시 보수주의자와 자유주의자 모두에게 비난을 받았습니다. 홉스의 절대적 통치권 주장은 절대 군주론을 옹호하는 것으로 평가되기도 하지만, 그는 왕권신수설과 같은 절대 군주론을 옹호한 것은 아니었습니다. 그는 강력한 통치 권력의 정당성을 주장했지만, 그 바탕에는 통치자는 개인의 자기 보호를 위한 대리인이라는 생각이 깔려 있었습니다.

홉스는 계약 당사자인 시민들이 지켜야 할 의무를 강조한 동시에, 군주가 지켜야 할 의무에 대해서도 분명하게 제시하였습니다. 이 때문에 홉스는 로크와 함께 자유주의의 전통을 세우는 데 선구적 역할을 한 고전적 자유주의자로 평가됩니다. 원래 성격이 소심했던 홉스는 정치에 관여하지 않고 오로지 학문을 연구하는 데만 힘을 쏟았으며, 그 결과 근대 정치 철학의 뿌리를 튼튼히 하는 역할을 하게 되었습니다.

제5장
소유권에 대하여
혹시 이런 생각해 본 적 있니?
도대체 언제부터 돈이라는 것이 생겼고
또 언제부터 재산의 많고 적음이 생겼을까 하는 생각.
뎅그렁
부자와 가난한 자는 왜 나뉘었을까?
열심히 살게.
감사합니다. 나리~
이런 생각은 누구나 한 번쯤 해봤을 텐데, 로크는 여기에 대하여 어떤 생각을 가지고 있었을까?

로크는 성경을 인용하면서 원래 세상은 공유하는 것이라고 생각했어.
공유한다는 것은 모든 사람들이 함께 소유한다는 의미란다.
HOLY BIBLE
인간은 일단 태어나면 자신을 보호할 권리
즉 고기나 음료와 같이 생존을 위해 자연이 주는 것을 가질 권리가 있다고 했어.
자연의 선물이니 마음껏….
그는 다윗 왕도 시편에서 '신이 사람에게 땅을 주었다.' 라고 말한 것처럼
신께서 주신 것이랍니다.
신은 인류에게 땅을 공유물로 주신 것이 분명하다고 했지.
대지도 인간에게 주신 것!
즉 인간은 자신의 생명을 유지하고 보존하기 위하여 땅에서 나는 생산물인
곡식이나 과일 등을 취할 수 있는 권리를 가지고 있다는 것이지.
두두두
신께서 모든 사람에게 동등한 권리를 부여했다는 거야.
로크는 최초의 인간이 아담이라고 해도, 세상의 모든 물건에 대한 소유권을 그에게 준 것이 아니므로
마음에 썩 드는군.
사각

누구든 동등한 권리를 가지고 있고, 자유롭게 이용할 수 있다고 설명하고 있어.
하지만 선악과는 누구나 이용할 수 없느니라.
그렇다면 이런 소유권은 어떻게 생기는 것일까?
자연 상태에서 인간은 자신이 원하는 것을 자유롭게 가질 수 있어.
잡는 사람이 임자다!
당연한 소리~
깡총
그렇다면 과일나무의 과일은 모두의 것이야.
그런데 배고픈 누군가가 그 과일을 따먹으려면 모든 사람에게 물어봐야 할까?
정말?
한 사람 한 사람 찾아다니면서 일일이 묻고 다닌다면
저… 혹시 이 과일을 제가 먹어도 될까요?
쿡바보..
아마 그 사람은 배고파서 쓰러지고 말 거야.
꼬르륵
아… 아직도 모든 사람한테 다 묻지 못했는데….
자연 상태에서 모든 것들은 공유되어야 하지만, 동시에 자유롭게 이용할 수 있어야 한다는 것이 내 생각이란다.

즉 자신이 과일을
따는 행위를 한다면
그 과일은 자신의 것이
될 수 있다는 거지.
스윽
여기서 과일을 따는
행위를 다른 말로
'노동' 이라고
할 수 있어.
와삭
노동은 자신이 원하는 무엇인가를 얻기 위해
인간이 하는 모든 행위를 가리켜.
로크는 노동을 통해서 소유권이 생긴다고 설명하고 있어.
척
또 노동을 통한 소유권을 매우 중요한
부분으로 강조하고 있지.
노동이 첨가된 것에
대해서는 그 이외의
아무도 권리를
가질 수 없단다.
빵은 우리에게 매우 중요해.
우리의 생명을 유지시켜 주니까.
그러면 빵은 어떻게 만들어졌을까?
어떻게 만들어지긴
뭘 어떻게 만들어져.
빵집에서 사 온 거지.
이런 바보~
우선 빵의 원료인 밀가루가 필요하겠지.
콜록, 콜록..

밀가루는 밀을 원료로 만들고, 밀은 농사를 통해 재배돼.
그런데 이 과정에서 인간의 노동이 개입되지 않는다면 밀은 그저 잡초로 사라질 수도 있겠지.
사삭
사삭
노동은 이렇게 어떤 물건의 가치를 높이는 중요한 역할을 해.
짠
다이아몬드 원석도 노동을 거쳐 이렇게 값비싼 보석으로 재탄생~
즉 노동을 통해 가치가 높아졌기 때문에 소유권도 생기는 거란다.
지금 우리에게는 이러한 설명이 자연스럽고 고개를 끄덕이게 하지만
오~...
맞아… 옳은 얘기야.
로크가 생존하던 시대에는 이 역시도 무척 과격한 생각이었어.
이런 엉터리 같은 소리가 어디 있어!
왜냐하면 당시의 토지는 모두 왕의 소유라고 생각하는 사람들이 다수였거든.
굽신
앞에서 이야기했던 장자 상속의 논리가 바로 그 근본이지.
최초의 인간 아담이 소유권을 가지고 있었고 그의 장남에게 권리가 상속되었으면
하하하
모두 다 내 거….
저도 권리가 있다고요.

지금의 군주가 바로 아담의 상속인이라는 거야.
조상님….
그러나 로크는 이런 이론을 반박했어.
한마디로 말도 안 되는 소리!
도대체 누가 아담의 후손인지 어떻게 증명할 겁니까?
짐이 그렇다면 그런 줄 알지….
따지냐?
로크의 이러한 생각은 이미 프랑스의 신학자 칼뱅으로부터 나타나고 있지.
칼뱅은 나보다 100년 전에 활동한 신학자야.
장 칼뱅 (Jean Calvin, 1509~1564)
그의 영향은 신학에 머물지 않고 현대 자본주의의 이론적 기초를 제공하고 있단다.
칼뱅은 '직업 소명설'을 주장했는데, 이는 모든 직업이 하느님의 뜻에 따라 존재한다는 주장이야.
정말?
쓱
넌 예외야.
더 나아가 자신의 직업이 무엇이든 하느님의 뜻을 이루기 위해 열심히 일한 사람은
깡
누구나 천국에 갈 권리를 가진다는 것이지.
스르…
칼뱅의 이러한 주장은 당시 신분 제도의 차별을 심하게 경험하고 있던 상공업자들에게 희망을 주었어.
상공업자란 장사하는 사람, 공장을 운영하는 사람, 물건을 제작하는 사람들을 말합니다.
바로 우리 같은 상공업자들이 노동을 통해 물건의 가치를 높이고 있죠.
뚝딱

역시 중세와 근대의 유럽은 종교가 중요한 역할을 했음을 알 수 있는 대목이지.
골치 아파~
또 종교 얘기네.
유럽 역사에서 종교를 빼고 얘기할 수는 없으니 뭐….
칼뱅은 개신교도야.
성서
당시 귀족들은 가톨릭을 신봉하고 있었고 가톨릭에서는 신분 제도를 뒷받침하는 교리를 강조하고 있었지.
따라서 신분이 낮은 사람들은 능력이 있어도, 재산이 많아도 차별을 당할 수밖에 없었어.
자기 자신의 이익만 아는 천박한 인물들….
부자가 천국에 들어가기는 낙타가 바늘구멍을 지나는 것보다 어렵다는 걸 모르는가?
상공업자
그런데 칼뱅이라는 신학자가 직업 소명설을 주장하면서 나타난 거야.
벌떡
무슨 소리! 직업에 귀천은 없소.
뭣이?
직업 소명설이란 세상의 모든 직업이 하늘로부터 부여받은 사명이라는 생각이야.
모든 사람들은 신으로부터 자기 몫의 일을 하도록 부름을 받은 것입니다.
맞아, 맞아.
모든 직업은 평등하고, 자신의 직업이 무엇이든
근면하고 성실하게 일하는 사람이 천국에 갈 수 있다는 생각이지.
휙

옷을 만드는 사람이나 가톨릭 성직자나 다를 게 없다는 생각이야.
빽~
그런 불순한 생각을 하다니~
물론 이때만 해도 무척 파격적인 주장이었지.
칼뱅은 자신의 생각을 적극적으로 실천에 옮기기 위해서 당시 힘과 권력을 가지고 있던 귀족들을 설득하기 위해 노력했단다.
종교를 개혁하려면 무엇보다 물질적인 지원이 절실했으니까.
칼뱅의 이러한 노력은 스위스와 프랑스에서 특히 많은 결실을 맺었고, 특히 직업 소명설을 적극적으로 옹호하는 상공업자들은 프랑스를 강한 나라로 만들게 된단다.
작은 규모의 수공업자나 상인들이 점차로 거대화된 공장과 무역으로 발전할 수 있었지.
스위스에는 망명한 프랑스 귀족들이 많았고, 이들이 프랑스로 돌아가서 칼뱅의 사상을 퍼뜨리는 역할을 한 거야.
칼뱅이라는 사람이 그러는데…
특히 직업 소명설은 모든 직업의 평등을 주장하는 데에 그친 것이 아니라
화르
근면과 성실의 실천을 통한 부의 축적을 인정함으로써
철썩
훗날 자본주의가 성장하는 데 중요한 역할을 하게 돼.

이는 당시 막 성장하던 상공업자들에게는 날개를 달아 준 셈이었지.
칼뱅은 신분 사회에 억눌려 귀족들에게 멸시를 당하던 우리 상공업자들을 정당화시켜 줬어요.
게다가 재산이 많을수록 천국에 갈 확률이 높아진다는 칼뱅의 생각은
후 후
빌 게이츠
난 천국행 티켓을 끊어 놓은 셈이군.
상공업자들의 정치적 지위까지도 높여 주는 결과를 가져왔어.
덜컹
이제부터 모든 걸 돈으로 해결할 수 있는 세상이 왔다.
덜컹
칼뱅이 이끄는 교회 개혁 세력은 특히 제네바에서 활발한 활동을 했는데
이들이 나중에 '청교도'라고 불린 집단의 출발이란다.
칼뱅이 워낙 엄격한 도덕적 의무를 준수하도록 단속했기 때문에 이런 이름이 붙게 된 거죠.
영국은 청교도, 프랑스는 위그노, 덴마크는 고이센이라고 불렀어요.
자, 이제 노동의 권리에 대한 로크의 설명으로 돌아가 볼까?
잠깐 잊었는지 모르지만 이 책의 주인공은 칼뱅이 아니라 바로 나란다.
칼뱅처럼 로크도 인간 노동의 중요성을 강조했어.
슥... 삭...
무언가를 소유하려면 일을 해야 한다고 주장했지.
아빠, 나 용돈~. 제가 구두 닦아 놨어요.
하하, 대견하구나.

또한 일을 통해 얻은 것은 함부로 다른 사람이 빼앗을 수 없다고 했어.
그게 뭐 대수라고 용돈을 줘요, 주길?
탁
어?
정당한 노동은 누구도 침범할 수 없는 권리를 부여받는 것이라고 생각했지.
로크의 소유권 이론에 따르면 이건 정당한 제 노동의 권리라구욧!
?
뭐시?
그렇다면 처음의 로크의 주장은 어떻게 되는 거지?
자연 상태에서 모든 것들은 공유 되어야….
잠깐만요?
그럼 세상의 모든 것들은 공유물이었는데, 이제는 개인의 소유를 인정해야 한다는 건가요?
그건 다른 사람의 공유물을 빼앗는 것 아닌가요?
개인의 소유권을 인정하는 것이 남에게 피해를 주는 건 아니라네.
그보다는 오히려 이로움을 주지.
예, 그건 어째서요?
토지를 예로 들어 설명해 볼까?
황무지로 남아 있는 땅을 누군가 열심히 일해서 비옥한 농토로 만들어서 농사를 지었다고 하면
그냥 황무지로 남아 있는 것보다 열 배 혹은 백 배 이상의 수확이 가능해지겠지?
사삭
따라서 노동을 통한 소유는 다른 사람의 공유물을 빼앗는 것이 아니라, 전체를 위한 발전이라고 볼 수 있지 않겠나?
흐음… 그렇군요.

그러면 어느 정도까지 개인의 소유를 인정해야 할까요?
신이 우리에게 어느 정도까지 소유할 수 있도록 한 거죠?
좋은 질문이군.
그 한계를 정하지 않는다면 인간이 욕심을 내서 무한히 소유하려 할 테니까.
그 한계란 자연의 법에 의하면 '인간이 이용 가능한 만큼' 까지라네.
그렇다면 '이용 가능' 한 만큼은 어느 정도인가요?
로크가 얘기한 '이용 가능한 한계' 란 그 물건이 썩거나, 버리게 될 정도로 많아지면 안 된다는 뜻이야.
앵 앵
크, 냄새~
과일을 너무 많이 따서 먹고 남아 썩을 정도라면
휘익
타인의 것을 훔친 것과 똑같은 행동이지.
도둑….
뭐?
심지어 자신의 농토 안에 자라는 곡식이라도
주인이 제대로 관리할 수 없다면 그것은 그의 것이 될 수 없다고 로크는 보았어.
저 논은 주인이 없나?
벼보다 잡초가 더 많네.
아까워라….
이는 자기 자신이 이용할 수 있는 범위를 넘어선 것이지.
으아앗~

'이용 가능한 한계' 라는 법칙이 제대로 지켜진다면, 인간의 노동으로부터 부여된 소유권은, 자연 상태에서 자연법을 어기지 않는 정당한 권리가 될 수 있단다.
로크는 인간의 이성이 적절한 수준에서 자신의 욕심을 통제할 수 있다고 믿었어.
아작…
아무렴, 통제할 수 있고말고….
그러나 화폐의 등장은 이런 한계를 무너뜨리게 되지.
사실 돈이란 그 자체가 가치를 가지고 있지는 않아.
착
다만 다른 물건과의 교환을 보다 쉽게 하기 위한 물건일 뿐이야.
화폐가 등장하기 전에는 자신이 필요한 물건과 자신의 물건을 직접 교환해야만 했어.
끄응
그런데 그게 불편한 일이었거든.
시장에서 신발을 사고 싶으면 그와 같은 가치를 지닌 곡식을 한 자루 가지고 가야 했고
시… 신발을 마흔 켤레만….
아, 알았소.
아이고…
또한 그것이 서로 교환할 수 있는지 협상을 해야 했거든.
내 거랑 바꾸자.
말이 되는 소리냐?
꽥
그런데 화폐가 등장하면서 이런 불편이 없어졌지.
동시에 농작물이 썩을 걱정도 없어졌어.
가지고 있던 농작물이 썩기 전에 돈을 받고 팔면 간단하니까.

즉 로크가 처음에 제시했던 소유의 한계가 없어진 거야.
그리고 돈은 아무리 많이 쌓아 놓아도 썩거나 상해서 버릴 일은 없지.
사람들은 물건 대신 돈을 많이 모으려고 노력하게 되었고, 이제 부의 축적이 가능해진 거야.
자신의 능력이 되는 한 무한한 부의 축적이 가능하답니다.
화폐로 인해 인간의 무한한 욕심이 실현 가능하게 되었고
얏호~
이러한 상황은 불평등을 더욱 심각하게 만들었다고 로크는 생각했어.
딸랑
자연 상태의 인간에게 주어진 자유와 평등이 점차 도전을 받게 되는 상황이 생기게 된 거지.
아이고, 무거워….
화폐로 인해 노동의 목적이 '이용 가능한 만큼'이 아니라 '모을 수 있는 만큼'이 되어 버린 거야.
이제 그 한계는 없어진 거지.
그렇다면 로크는 이제 불평등을 인정할 수밖에 없어.
헉
꺄오~
로크의 주장대로라면 소유권은 노동의 결과로 생기는 것이고
그것을 썩지 않게 이용하기만 하면 되는 거니까.
덜컹
그리고 화폐는 그것을 가능하게 만들었지.
자, 여기 오렌지 값이오~

로크는 노동의 가치와 사유 재산의 중요성을 강조하는 것에만 신경을 쓰고 있어.
한 사람의 인간이 일구고, 심고, 개량하고, 재배하고, 또 수확물을 이용할 수 있는 만큼의 토지. 그것만이 그의 소유물이지.
로크의 주장은 근본적으로 노동의 권리를 인정함으로써 사적인 소유권을 인정한 거야.
토지 자체의 가치는 노동이 없이는 거의 무가치한 거라고.
현재와 같은 자본주의의 토대를 마련한 셈이지.
그리고 이로 인해 발생한 소유권은 절대로 다른 사람이 침해할 수 없는 것이라고 주장하고 있어.
심지어 목숨을 빼앗을 상황이라도 그의 재산을 침범할 수는 없단다.
그 어느 누구도 그럴 권리는 없어.
이와 같은 로크의 주장은 개인의 재산을 신성시함으로써, 군주의 권리가 제한되어야 함을 주장할 수 있는 근거가 되었어.
내 영토 안에 거주하는 백성의 재산도 모두 내 것이나 다름없으니, 세금을 마구 거두어들여라.
무슨 소리!
아무리 강력한 힘을 가진 군주라도 개인의 권리를 침해할 수 없습니다. 개인의 권리는 신으로부터 받은 것이기 때문입니다.
아, 알았다고….
사삭
로크의 사유 재산에 대한 강조는 섀프츠버리 백작의 영향을 받은 결과야.
나는 영국의 발전을 위해서 자유로운 무역이 가능하다고 생각한 사람입니다.
한마디로 '자유주의자.'
백작은 자유 무역을 하기 위해서는 종교에 대해서도 관용적인 태도를 가져야 한다고 주장했어.

종교와 무역이 무슨 상관일까?
왕야
당시에는 어느 나라나 종교가 정치, 사회, 문화 각 분야에 큰 영향을 주고 있었단다.
종교가 다르면 바로 적이 될 수밖에 없던 시대였지.
하지만 무역은 물건을 팔아먹는 일인데, 종교가 다르다고 해서 장사하는 사람이 물건을 안 팔 수는 없지 않겠어?
우리 가게 물건은 유대교 신자들만 살 수 있소.
뭐라고요?
장사하는 사람이 손님의 종교가 마음에 안 든다고 물건을 안 판다면 부자가 될 수 없지.
탁
아이고, 이거 손님을 가려 받아서는 안 되겠다.
자유주의자들은 바로 이러한 이유 때문에 모든 종교에 대한 관용적인 태도가 필요했던 거야.
어서 오십시오. 할렐루야, 샬롬, 나무아미타불….
로크는 샤프츠버리 백작의 주치의이자 비서 역할을 하면서 백작과 많은 토론을 즐겼으며
이 과정에서 이러한 백작의 자유주의적 성향을 받아들였어.
존경할 만한 사람이었지.
애슐리 경은 입헌 군주제, 시민의 자유, 종교적 관용, 의회의 통치 등을 지지한 사람이기도 해.
동시에 젠트리 출신이기도 한 로크에게 사유 재산은 생명만큼 소중한 것일 수밖에 없었지.
나의 정치적, 사회적 기반을 마련해 준 것이 바로 내가 소유한 토지와 재산이었으니까.
로크에 따르면 재산에 대한 이러한 권리의 근거는 이미 오래전부터 암묵적으로 동의한 내용이라고 봐야 해.
모든 사람에게 내가 과일을 먹어도 되는지 물어볼 수는 없잖아요?
이건 물론 화폐의 사용에서도 마찬가지로 적용되지.
아삭..
인간의 필요에 의해 화폐의 사용을 묵시적으로 허용했기 때문에 그로 인한 불평등도 어쩔 수 없이 받아들여야 한다는 거야.
화폐가 아니었으면 '모든 사람이 자기가 이용 가능한 만큼 가져야 한다.'는 규칙이 현재까지도 통용되고 있었을 거야.

그래서 로크를 비판하는 사람들은 로크가 불평등의 원인을 개인에게 떠넘기고 있다고 생각한단다.
화폐 사용을 인정했으니 그로 인해 생기는 고통도 감수하라라고?
이런 무책임한 사람이 있나?
내가 뭘~
로크의 설명에 따르면 가난한 자는 열심히 일을 하지 않아서 가난한 것이지, 다른 누구에게도 책임이 없는 것이거든.
열심히 일하면 누구나 부자가 될 수 있지.
그게 정말인가요?
결국 부자와 가난한 자의 차이가 개인의 책임으로 되어 버리는 거야.
이러한 로크의 생각과는 달리 케인스 학파로 불리는 사람들은
영국의 경제학자 존 메이너드 케인스.
정부의 역할에 대해서 강조하면서 복지 국가가 필요함을 주장했지.
정부의 인위적인 개입과 규제는 없어야 한다는 고전학파의 주장은 틀렸습니다.
그렇게 말하는 근거라도 있나?
1920년대 대공황으로 인해 자유주의의 한계를 직접 경험한 사람들은 국가가 경제활동에 적절한 수준으로 개입해야 한다고 생각했어.
마르크스 같은 사람은 아예 모든 재산을 국유화함으로써 이와 같은 불평등을 해결하고자 시도하기도 했지.
불평등은 개인의 책임일까? 사회나 정부의 책임은 전혀 없을까?
이런 문제에 대한 고민이 훗날 세상을 사회주의와 자본주의로 나누게 되지.
자네가 죽은 다음에 벌어진 일인데 그걸 어떻게 알아?
뎅그렁
쿡쿡
자, 그럼 소유권에 대한 설명은 이만 하고 다음 장으로 넘어가 볼까?
나를 따라오길!

TWO
TREATISES
OF
Government:
True Original, Extent, and End
OF
Civil Government.
LONDON,

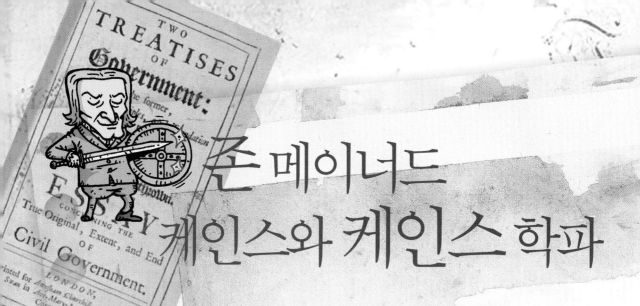

존 메이너드 케인스와 케인스 학파

▲ 케인스는 경제에 대한 정부의 역할을 중요하게 생각했다.

존 메이너드 케인스(John Maynard Keynes, 1883~1946)는 영국의 경제학자입니다. 케인스는 경제학자로서뿐만 아니라 경영인, 통화 위원회 위원, 국제 통화기금(IMF)과 국제 부흥 개발 은행(IBRD)의 총재, 상원 의원 등 여러 방면에서 많은 활약을 하였으며, 정치, 철학, 고전, 사상 및 수학에도 조예가 깊었습니다.

케인스 이전의 경제학은 애덤 스미스의 사상이 주류였습니다. '보이지 않는 손'의 중요성을 강조한 스미스는 정부가 개인의 경제활동에 간섭하지 않는 것이 가장 좋은 것이라고 생각했고, 그렇게 해야만 각 개인이 수요에 맞는 공급을 하며 적절한 가격이 매겨지고 실업이 발생하지 않는 완전 고용이 이루어질 수 있다고 보았지요. 그러나 1929년 대공황으로 전 세계의 경제 상황이 급격히 어려워지면서 스미스의 이론을 반박한 케인스가 주목받기 시작하였습니다. 케인스는 '유효 수요'라는 새로운 개념을 강조했지요. '유효 수요'란 소비자의 진정한 구매 능력을 전제로 하는 개념입니다. 즉 지갑에 돈이 있어야만 물건을 구매할 수 있다는 뜻입

니다. 스미스가 말한 '수요'는 소비자가 구매하고자 하는 욕구만을 중요시했기 때문에, 대공황과 같은 불황기에는 정작 돈이 없어서 사고 싶어도 구매를 못 하는 일이 발생하는 것을 예상하지 못한다는 것이 케인스의 주장입니다. 즉 욕구만 있고 능력이 없는 수요는 쓸모없는 수요라는 것입니다.

▲ 애덤 스미스는 어떤 의미에서는 20세기 인류 역사에 가장 큰 영향을 끼친 인물이다.

케인스는 스미스와 달리 유효 수요를 만들어 내기 위해서는 정부의 역할이 필요하다고 생각했습니다. 케인스는 정부가 적극적으로 경제에 참여하고 돈을 지출함으로써 유효 수요가 발생하고 근로자들에게 임금을 지급할 수 있다고 주장했고, 근로자들은 벌어들인 수입의 일부분을 소비함으로써 경제가 활성화될 수 있다고 보았습니다. 이러한 케인스의 주장은 대공황기의 경제 상황에서 그 효과를 인정받았고, 미국의 뉴딜 정책으로 연결되었으며, IMF와 IBRD와 같은 국제 금융 기구의 탄생에 영향을 주었습니다.

케인스의 경제 사상은 이후 전 세계 대부분의 국가에 영향을 주었으며, 자본주의 사상을 수정 보완하면서 복지 국가의 개념을 만들어내는 데 큰 영향을 끼쳤습니다. 또한 이후 경제학자들에게 강한 영향을 주어 케인지언이라고 불리는 '케인스 학파'가 등장하기도 했습니다.

21세기에 들어와 케인스의 이론과는 다른 경제적인 주장이 등장하였는데, 바로 신자유주의입니다. 사실 신자유주의는 애덤 스미스, 더 거슬러 올라가 로크의 사유 재산권을 다시 강조하는 방향으로 흐르고 있습니다.

제6장 부권에 대하여

아버지란 어떤 존재일까?
우리 집의 어른이고
자, 이제 밥 먹자~
네~
나에게 용돈을 주고
와아—.
10000
얏호~
직장에서 일하는 분?
끄응
또 야근이다….

그러나 왠지 무섭고 엄한 분위기를 가지고 있는 분?
내가 너의 아버지다.
엑~ 정말요?
지잉
너희들의 아버지도 그러니?
뭐? 개그맨보다도 웃긴 분이라고?
흔들흔들
푸하하핫~
음식도 잘한다고?
여보~ 음식 타는 냄새 나요.
항상 다정한 분이라고?
아버지가 아버지로서의 역할을 한다는 것은 무엇을 말할까?
로크는 아버지의 권위와 역할을 매우 자세하게 설명하고 있어.
왜냐하면 바로 군주제의 근본이 '부권(父權)' 이라는 명칭에서 출발한다고 보기 때문이지.
앞에서 설명한 것 중에 '장자 상속의 원리' 라는 말 기억하니?
아담이 최초의 인간이며, 아담이 가지고 있던 권리를 장남에게 상속하였고
내가 가지고 있는 모든 것을 네게 물려줄 것이다.
아빠, 우리는?

그 직계 후손이 지금의 군주라는 설명이었지.
아주 단순하지만 군주의 절대 권력을 가장 잘 이해하고 받아들일 수 있는, 효과가 있는 설명이지.
그래서 왕이 곧 모든 국민의 아버지라는 생각을 자연스럽게 받아들이게 하는 힘이 있단다.
자식이 아버지의 말에 복종하듯, 짐의 명령에 복종하는 것이야말로 신을 기쁘게 하는 것이다.
로크는 바로 이 부권에 대하여 세밀하게 분석하고 반박하면서 군주제의 근본을 흔들고 있어.
그럼 일단 부권이라는 개념부터 명확히 해 볼까?
로크가 보기에 부권이란, 아버지로서 자식들을 지배하고 복종하게 만드는 힘이야.
이 아버지의 말만 잘 들으면 돼. 다 너희들 잘되라고 하는 소리니까.
그런데 자식에 대한 권리는 아버지에게만 있을까?
제게도 자식에 대한 권리가 똑같이 있다는 걸 잊지 마시라구요.
나는 자식에 대한 아버지와 어머니의 권리를 모두 인정해야 한다고 생각해.
로크는 어머니도 자식에 대해서 아버지와 동등한 권리를 가지고 있는데, 부권만을 강조하는 것은 이미 어떤 의도가 있는 거라고 생각했어.
그 의도란 하나밖에 없지. 오직 군주에 대한 권리를 설명하기 위해서 부권이라는 명칭만을 사용하게 된 거야.
국민들에게 오직 한 사람만의 절대적인 권력을 인정하도록 만들려고 하다 보니
스윽

어머니의 권리를 의도적으로 무시해 버린 거지.
어머니의 권리까지 인정하면 복잡한 문제가 생기거든요.
어머니의 권리, 즉 모권(母權)을 인정한다면 마찬가지로 왕비의 권리도 인정해야 하지 않겠니?
로크는 가족 안에서 부권이라는 말보다는 부모의 권력을 동등하게 인정해야 한다고 생각했어.
엄마가 해도 된다고 그랬는데···.
설마···.
피자 치킨
아빠 바보
야옹
낙서금지
부권을 부정하기 위해서 노력하다 보니, 자연스럽게 여성의 권리를 인정하게 된 거지.
지금부터 400년 전에 살았던 로크지만, 여성 해방의 기수가 된 거지.
원래 이걸 의도한 건 아니었는데···.
여성 해방
여권 신장!
페미니즘 부활
모든 인간은 동등하며, 평등한 권리를 지니고 있고
어머니 또한 가족 안에서 아버지와는 별개의 독립된 권력을 가지고 있다는 것이 로크의 기본 생각이야.
그럼 로크는 아버지의 역할을 어떻게 설명했을까?
중요한 건 모든 인간이 불완전하게 태어났다는 것이지. 물론 아담을 제외하고는 말이야···.
아담
아담은 태어나면서, 아니 만들어지면서 이미 완전한 이성을 갖추고 있었고
흐음~ 그런 대로 괜찮은걸?
사각

자신의 의지를 실현할 수 있는 인간이었어.
한 입 깨물어 봐요.
당신은 생각하는 대로 실천할 수 있으니까….
왠지 꺼림칙한데…
그러나 그 후손들은 태어나면서 일정한 기간 동안에 보호가 필요했지.
커엉~
크….
얘야, 그러면 위험해!
막 태어난 아기를 생각해 봐.
응애~
누군가의 보호 없이 얼마나 생존할 수 있을까?
아마 일주일을 버티기 힘들 거라고요.
손에 닿지를 않아.
분유
그래서 신은 부모가 그 아이가 성인이 될 때까지 보호할 의무를 준 거야.
쏴아
이 의무를 성실히 실천하는 부모는 그 기간 동안 아이의 모든 권리를 행사할 권리를 가지게 되지.
부모의 보호를 받는 동안 아이는 부모에게 절대적으로 복종해야만 해.
선생님 말씀 잘 듣고, 수업 끝나면 학원 가는 것 잊지 말고, 용돈 아껴 쓰고….
어휴, 잔소리….
그럼 몇 살까지 이 상태로 살아야 하죠?
당시 영국의 법은 스물한 살이 되어서야 성인으로 인정했지.
축하한다~ 오늘부터 넌 어른이다.
툭
그럼 이제부터 제 맘대로인가요?
그건 아니지.
로크도 이 나이가 자식이 독립하는 나이라고 설명했어.
물론 개인별로 조금씩 차이가 있을 수도 있지만….

결국 부모는 아이의 보호를 위해 잠시 아이의 권리를 맡아 두고 있을 뿐인 거지.
성인이 되면 권리를 넘겨주셔야 해요.
로크는 부모가 자식에 대해 가지는 권리는 바로 양육과
보호의 의무로부터 생기는 것이라고 생각했어.
어린이 보호구역 (차량 진입금지)
아이의 재산이나 생명은 부모라고 해도 함부로 할 수 없는 것이야.
아빠, 제 저금통에 왜 손 대세요?
으앗…
부모의 권리를 엄격하게 제한한 것이지.
녀석, 노크라도 하고 들어오지 않고서….
흥
여긴 제 방이라고요.
로크에 따르면 부모의 권리는 아이가 자신의 이성으로 판단이 가능한 나이가 되면 바로 소멸되는 거야.
짜 잔
이 순간부터 자식은 독립된 인격체로서 자유를 누리게 되는 거지.
성인이 되었으니 이제 어떤 영화도 내 맘대로 볼 수 있다.
이건 어차피 애들용 영화잖어?
영구와 땡칠이
물론 그렇다고 부모 자식 간의 관계가 없어지는 것은 아니야.
부아아앙!
얘야, 자주 연락해라.
너무 걱정 마세요.

이때부터 자식은 부모를 존경하고 존중해야만 해.
저를 이렇게 멋진 어른으로 키워 주신 엄마, 아빠 감사합니다….
부모 자식 간의 이러한 관계는 왕에게도 마찬가지로 적용돼.
다시 말해서 왕도 자신의 부모에게 다른 사람과 똑같이 존경과 존중할 의무가 있어.
아바마마, 밤새 안녕히 주무셨습니까?
뒤집어 말하면 왕이나 일반 국민이나 똑같다는 거야.
군주라고 해서 다를 수는 없지.
이는 평등의 개념을 분명히 말하는 거야.
왕과 국민이 평등하고 모든 개인이 자유롭다, 이런 얘기!
씨익
저 말 들었지? 앞으로 우리 말 놓고 지낼까?
무엄한 놈….
로크는 《정부론》을 통해서 일관되게 평등에 대해서 이렇게 설명하고 있어.
상속이란 말 들어 보았지?
핫핫, 물론 그건 아버지의 재산을 물려받는다는 뜻이죠.
결국엔 이 차도, 저택도 결국 다 내 것~
쯧, 벌써부터….
로크는 이 부분도 언급하고 있어.
훗
아버지의 재산은 자식을 복종하게 만드는 유용한 수단이 된단다.

가끔 뉴스나 신문을 통해서 부모의 재산을 노리고 벌어지는 자식들의 다툼에 대하여 들은 적 있지?
저런 쯧쯧쯧….
….
소유권에 대해서 이야기한 것 기억나?
각자의 노동을 통해 발생한 소유권은 절대 다른 사람이 침해할 수 없다!
아버지의 재산은 아버지 것이야.
그것을 누구에게 물려줄 것인가 하는 것도 아버지의 선택이지.
헤헤, 물론 저한테 주실 거죠?
글쎄다, 우린 전부 자선 단체에 기부할 생각인데…
자식이 여럿이라면 누구에게 많이 줄 것인가 하는 것도 중요한 문제야.
워낙 자식들이 많으니 나중에 유산을 분배하는 일도 번거롭겠군.
끄응
바로 상속의 배분을 어떻게 할 것인가로
아버지는 자식들의 복종을 유지할 수 있는 거야.
공평하게 잘라 주마. 하지만 아까 말썽을 부린 셋째에게는 케이크를 줄 수 없다.
히잉~
재산을 가지고 자식들을 복종시킨다는 말이 좀 우습지만 효과적인 방법임은 분명하겠지?
앞으로 말 잘 들을게요.
케이크 먹고 싶어요.

로크가 이런 설명을 하는 이유는 재산 상속에 대해서 이야기하기 위한 게 아니었어.
그가 정작 설명하고자 했던 것은 재산, 즉 토지의 상속으로 인해 발생하는 법적 의무에 관한 것이었단다.
재산에 관심이 없는 사람은 없어도 법적 의무에 관심이 없는 사람은 많겠지만 말이야….
로크는 아버지의 토지를 상속받는 순간
자, 오늘부터 이 땅은 네 것이다.
그 토지가 속해 있는 국가에 복종해야만 하는 의무를 가진다고 보았어.
토지만 받는 것이 아니라 토지 소유의 근거가 되는 법을 따라야 한다는 얘기지.
잠깐만요, 그럼 제가 아버지의 토지를 상속받지 않는다면요?
그렇다면 그 어떤 법에도 복종할 의무가 없는 거란다.
그럼 너는 네가 살 곳을 너 자신이 선택하게 되는 셈이지.
그러나 아버지의 재산을 상속받았다면 아버지가 지금까지 가지고 있던 모든 권리와 의무를
권리
척
자, 내 모든 권리를 받거라, 아들아~
얏호~
동의하는 것으로 생각해야 한다고 로크는 말했지.
이것도 함께 가져가야지.
철컥
의무
권리
히잉~

아버지가 복종하던 법을 따라야 하고
법
아버지가 내던 세금도 내야 하며
우선 이 토지를 양도 받음으로써 발생하는 토지세와 양도세와 재산세, 부가 가치세 등의 세금을 납부하시고….
뭐 이렇게 많아….
아버지가 섬기던 지배자도 인정해야 하는 거지.
우리가 대를 이어 충성을 바쳐야 할 여왕님이시다.
덜컹
무엇이든지 받은 만큼 지불해야 해.
세상에 공짜라는 건 없으니까.
권리를 누리고 싶으면 의무를 지켜야 하는 거야.
그냥 받기만 하고 싶은데… 안 될까요?
그걸 도둑놈 심보라고 한단다.
이제는 아버지가 어떤 사람인지 이해하겠지?
자식이 성인이 될 수 있도록 보호하고 양육하고 교육시키는 사람이자
옛날 옛날 아주 먼 옛날에….
콩쥐팥쥐
또 자식들을 먹여 살리기 위해서 열심히 일하는 사람이지.

그런 과정에서 재산이 많아지면, 아버지는 그 재산을 어떻게 분배할 것인지 고민도 해야 해.
첫째는 방앗간을 가지고, 둘째는 당나귀, 셋째는 장화 신은 고양이를 갖도록 해라….
지금까지의 설명에서 로크가 말하고 싶었던 것은 무엇일까?
아버지란 누구인가 하는 거죠.
어머니도 아버지 못지않게 중요하다는 말이에요.
재산 상속에 관한 문제 아닌가요?
아버지의 권리와 왕이 가지고 있는 지배권은 전혀 다르다는 거란다.
아버지의 권리는 신에게 부여받은 자연의 권리이며, 오로지 양육의 의무를 지키기 위해 주어진 것이야.
이 아이를 잘 키워야 하네.
감사합니다, 삼신 할머니.
부모는 자식에 대한 보호와 양육을 책임지는 것이고
밥 먹어라, 얘야~
자식은 성인이 되기 전까지 부모의 명령에 복종해야만 하지.
난 시금치 싫은데….
편식 하면 절대 안 된다고 했지?
시금치 남기지 말고 다 먹어야 해!
부모가 자식을 올바로 양육하지 않는다면 자식에 대한 권리도 없어지는 거야.
큭큭
신데렐라, 언니들이 파티에 입고 갈 드레스는 준비해 놓았겠지?
네. 근데 저는…?
이것은 지배와 복종의 관계와는 달라.
잉글랜드의 국왕께 충성을 다할 것을 맹세합니다.

그렇다면
'지배권' 이란
무엇일까?
앞에서도 말했듯이 지배권이란
자연 상태의 사람들이 타인의 위협이나
공격을 막기 위해서
이것 봐.
날 좀 불쌍히 여겨
달라고….
자신의 권리를 누군가에게 위임하기로
동의하면서 생긴 권리야.
즉 사람들 간의
약속인 셈이지.
TELEPHONE
흑…
거기 경
찰서죠..
사회가 만들어진 것도,
국가가 만들어진 것도
모두 이 같은 과정으로
이루어진 거야.
로크의 이런 주장을 사회 계약론이라고도 해.
저희들은 대표적인
사회 계약론자들입니다.
로크
홉스
루소
로크는 지배권이 신으로부터 부여받은 것이
아니라는 것을 분명하게 하고자 했어.
어느 누구도 처음부터
다른 사람을 배제하는
사적인 지배권을 가지지
않았느니라….
영국 왕은
예외 아닐까요?
이는 왕권신수설을 비판하기
위해서야.
王權神授說
divine right of kings
왕권신수설이
뭐냐고?
설마 벌써
잊어버린 거야?
로크가 당시 왕권파들의 주장을 반박하기 위해서는
그 바탕에 깔려 있는 생각을 뒤집어야 했어.
왕은 결코 신이
아닙니다.
위험한 생각을
가지고 있는
친구로군….
왕권파들의 바탕에 깔려 있는 생각, 바로 그것이
왕권신수설이었지.
국왕께서는
지상에서 신의
대리인이라고.
왕권에는
제한이 있어선
안 돼.
의회가 할 수
있는 일이라고는
국왕께 권고하는
정도야.
으윽….

그 핵심은 왕은 신으로부터 권리를 위임받은 존재라는 것이었어.
벌써 몇 번째 얘기 하는 것 같은데….
왕이 신으로 불리는 것은 타당하다. 왕은 모든 백성을 심판하며, 더욱이 신 이외의 아무것에도 책임을 지지 않는다.
이에 대해 로크는 왕의 권리가 사람들의 동의에 의해서 생긴 것임을 지적하고자 했지.
어디서 그런 황당한 얘기를….
그 권리는 신으로부터 부여받은 것도 아니고, 아버지의 권리처럼 주어진 것도 아닌, 국민들로부터 위임받은 권리일 뿐이야.
자네 말대로라면 어째서 백성들이 내게 복종하는 거지? 그 권리를 왜 내게 위임했느냐고?
그거야….
국민들은 자신을 보호하기 위해 국가를 선택했고, 자신의 권리를 스스로 내놓았기 때문이지.
그렇게 권리를 내놓은 거라면 왕의 지배에 철저하게 복종해야 하는 것 아닌가?
국민들이 내놓은 권리는 그중 일부분일 뿐이라니까요!
꼬박꼬박 말대꾸를….
왕은 국민을 지킬 의무가 있고
자신에게 맡겨진 권리를 함부로 사용해서도 안 된다고 로크는 주장했어.
난 한도가 없는 신용카드를 쓰고 싶다고….
처음부터 왕의 지배권은 제한을 가지고 있다고 본 거지.
컹 컹 컹
휴~ 저 끈이 조금만 길었어도 큰일 날 뻔했네.
덜덜
로크는 사람들이 법을 통해서 왕의 지배권을 분명하게 제한하고 있다고 생각했어.
아무리 왕이라고 해도 법 위에 있을 수는 없습니다.
법

사회 시간에 배운 내용과 비슷하다고?
난 그런 내용 배운 적 없는데….
이그, 며칠 전에 배운 거잖아.
맞아. 로크의 주장은 법에 의하지 않고는 처벌할 수 없다는 것, 즉 법치주의를 의미하니까.
법치주의란 넓게는 법에 의한 정치를 말하며, 절대주의 국가를 부정함으로써 성립한 근대 시민 국가의 정치 원리를 말합니다.
그러니 지금의 시대를 로크의 시대라고 하는 거야.
당연한 얘기야아 아아아~
그 로크가 아니라니까….
듣다 보면 다 들어 본 이야기일 텐데, 로크의 《정부론》에 이미 그 내용들이 담겨 있다는 거지.
우와, 그런 걸 보면 이 로크라는 사람 정말 대단하잖아?
그러게 말야.
후후, 미래에도 내 인기가 대단할 줄이야….
부권에 대한 설명을 통해서 로크는 왕의 절대 권력을 인정할 수 없다고 얘기한 거야.
절대….
예쁘게 볼 수 없는 녀석이라니까….
부글
부글
다시 한 번 강조하지만 왕은 오로지 자신에게 맡겨진 것, 사람들이 동의한 것들을 통해서만 지배할 수 있어.
물론 지배권이 결코 작은 것은 아니지.
스윽
지배권에 대해서는 뒤에서 좀 더 자세하게 설명할 기회가 있으니 이 정도로 마무리할까 해.

사회 계약론 삼총사

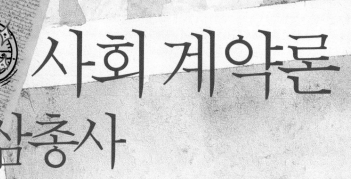

사회 계약설을 이해하려면 홉스와 로크 그리고 루소를 알아야 합니다. 이들은 공통적으로 국가가 성립하기 이전에 자연 상태가 있었음을 주장하였고, 자연 상태의 인간들이 자신들의 안전과 행복을 목적으로 계약을 맺어 국가가 만들어졌다고 생각했습니다.

그러나 자연 상태에 대한 입장은 서로 차이가 있습니다. 홉스는 자연 상태를 '만인의 만인에 대한 투쟁'으로 표현했습니다. 그는 자연 상태는 매우 위험한 상태로, 이기적인 인간의 마음 때문에 서로가 각자의 이익을 추구하다 보니 갈등과 투쟁이 끊임없이 일어나는 정글과 같은 것이라고 보았습니다. 반면 로크와 루소는 자연 상태에서의 인간은 자유롭고 평화롭다고 생각했지요. 이러한 차이는 인간에 대한 입장의 차이에서 비롯되는데, 홉스는 인간을 이기적이고 탐욕스러운 존재라고 생각하는 성악설을 믿었으므로 자연 상태는 필연적으로 투쟁에 빠질 수밖에 없다고 생각했습니다. 그러나 로크는 인간이 아무것도 모르는 백지 상태에서 출발한다고 생각했고, 루소는 본래 선한 존재라고 생각했습니다. 다만 자신의 안전을 보다 제도적이고 안정적

으로 보장받기 위하여 사회를 구성한 것이라고 보았죠.

▲ 장 자크 루소

국가에 대한 입장도 차이가 있습니다. 홉스에게 국가는 어떠한 잘못도 저지르지 않는 완벽한 존재로, 국가를 지배하는 군주에게 절대적인 권력을 주어도 아무런 문제가 없습니다. 그러나 로크는 국가란 각 개인의 권리를 일시적으로 위임받은 존재에 불과하며, 국가가 잘못을 저지른다면 국민들은 자신의 권리를 되찾아올 수 있음을 분명히 했습니다. 이것이 저항권입니다. 루소는 한 발 더 나아가 개인의 기본권은 양도가 불가능하며 국가는 단지 개인들의 공동선을 추구하기 위한 도구 정도라고 생각했습니다.

이러한 차이에도 불구하고 세 사람은 모두 국가가 개인 간의 자유로운 계약에 의해 탄생하였다고 생각했습니다. 즉 국가는 신이나 초자연적인 권위에 의해 만들어지고 유지되는 것이 아니라 국민들의 동의와 지지를 바탕으로 존재하는 것이라고 생각했지요. 홉스와 로크, 루소의 사상은 근대 민주주의가 발전할 수 있는 사상적 기초를 제공했답니다.

제7장 정치 사회의 기원에 대하여

이번엔 가족에 대한 설명을 해 볼까 해.
그럼 가족분 모두 여기를 보시고 김치~
김치~

가족이란 도대체 어떻게 생겨나게 되었을까?

결혼이라는 제도는 언제부터 생긴 것이고?
신랑 신부는 이제 한 가족이 되었으니….

이에 대한 로크의 설명을 살펴보면서 같이 생각해 보자.
이 책에 이런 내용까지 있을 줄 몰랐지?
정부론

로크는 가족이라는 집단이 생기게 된 기원을
휘릭
거기 서라~
남녀의 결합에서 찾았어.
어머, 멋진 남자~
후후, 내 사냥 솜씨에 반한 모양이군.
인간 또한 동물과 마찬가지로 종족의 보존이라는 목적을 가지고 남녀가 만나게 된다고 보았지.
이렇게 많은 자식을 낳아 줘서 고마워~
그런데 동물과 인간은 커다란 차이가 있어.
뭘까? 재산? 성격? 애정관?
동물은 양육 기간이 짧다는 거야.
버럭
네가 먹을 과일은 이제 네가 따도록 해라~
아직 전 돌도 안 지났다고요.
강아지 키워 본 적 있지?
강아지는 태어나자마자 걸을 수 있어.
우와, 정말 걷네?
왈…
불과 몇 개월 만에 몸집도 어미와 비슷해지고
컹
짖는 소리도 엄청 커졌죠? 컹컹~
컹
내 새끼, 다 컸네.
1년만 지나면 자기 혼자 살아갈 수 있지.
흐음… 이제 슬슬 장가들 때가….

다른 동물들도 차이는 있지만, 인간에 비하면 양육 기간이 매우 짧은 편이랍니다.
그러나 인간은 달라.
응애애~
우선 태어나서 몇 년간은 엄마의 품에서 자라야 한단다.
그 후 상당 기간은 부모의 도움을 받아야 살아갈 수 있지.
엄마, 좌회전~
그래서 인간은 부모의 역할이 다른 동물에 비해서 중요할 수밖에 없어.
엄마, 용돈~. 그리고 참고서 살 돈하고 학원비도.
로크는 바로 이런 이유 때문에 인간의 부모가 상당한 기간 동안 함께 살면서 자식을 양육할 책임을 가지게 되었고, 또한 자식에 대한 권리를 가지게 되었다고 설명하고 있어.
용돈 아껴 쓰고, 길 건널 때 신호등 잘 보고, 수업 시간에 선생님 말씀 잘 듣고, 또 잊어버린 것 없나?
그만하면….
결혼이라는 제도 역시 이런 이유에서 생겨난 거야.
엄마가 아이들을 키우고 보살피는 동안
엄마~ 배고파요.
아빠가 맛있는 걸 가져올 거야.
남편은 식량을 구하고 집을 지어야 하는 거지.
여보, 저녁거리 잡아 왔소.
와아~.
아빠~

그러자면 두 사람의 관계가 분명하면서도 오랫동안 유지되어야
자식들이 안전하게 자랄 수 있겠지.
두 분은 저희가 성인이 될 때까지 절대 이혼 같은 건 하지 마세요.
응?
로크는 이런 이유 때문에 신이 인간에게 처음부터 '책임감' 이라는 것을 주었다고 생각했어.
책임감 외에 다른 건 뭐 주실 것이 없나요?
에덴 동산만으로는 부족하단 말이냐?
인간은 부모로서의 역할, 남편으로서의 역할, 아내로서의 역할을 수행하게 되었다는 거지.
난 밖에서 농사를 지어 먹을 것을 마련할 테니, 당신은 두 아이를 돌봐 주시오.
너희들도 엄마 말 잘 듣고, 싸우지 마라.
특히 카인 너 동생 때리지 말고…
로크는 가족의 기원을 설명함으로써, 절대 군주 제도를 지지하는 사람들이 주장하는 가부장권의 문제점을 드러내고자 했어.
국왕 폐하야말로 신으로부터 권력을 물려받은 아담의 후손이죠.
No!
척
가족에서 아버지의 역할과 어머니의 역할을 구분함으로써 군주가 아버지의 권리, 즉 부권에서 비롯된다는 가부장권의 논리를 반박했단다.
쓱
가족 안에는 아버지의 권리도 있지만 어머니의 권리도 역시 존재하는 거야.
드라마 볼 시간이라고요.
야구 할 시간이야.
옥신
각신
만화영화 봐요~
저희에게도 권리를 주세요~
따라서 절대 군주와 아버지는 같을 수가 없지.
아버지는 절대 군주처럼 권리를 혼자 독점하는 존재가 아니니까.
물론 그렇게 하려는 아버지도 있지만…

어머니는 어떤 경우에는 아버지의 명령에 복종하지만, 기본적인 권리를 포기하지는 않아.
오늘 밤에 제사 지내야 하니까 모든 준비를 해 줘요. 우선 장부터 보고, 요리도 하고, 아 참, 손님들 오니까 대청소부터….
할 일이 태산이네….
윙…
어떤 경우에도 어머니의 생명과 관련된 권리는 아버지가 침해할 수 없지.
그걸 나 혼자 다 어떻게 해요. 내 몸이 열 개인 줄 아세요?
대청소는 당신과 애들이 하세요.
척
아, 알았어.
그렇다면 시민 사회는 어떻게 시작되었을까?
자연 상태에 대한 설명 기억하지?
인간은 자유롭게 태어났으며, 누구나 자신의 권리를 지킬 수 있는 재판관이 될 수 있었던 상태 말이야.
자연 상태의 인간은 모두 평등했고 자신의 자유를 최대한 누릴 수 있었어.
배부르고 시원하니 천국이 따로 없구나.
그런데 이러한 자연 상태를 위협하는 사람들이 나타났고
여기서 꺼져.
이 나무 그늘은 내가 먼저 찜~ 해 놓은 거야.
그런 법이 어디에….
이러한 위협으로부터 안전을 보장받을 필요가 생겼지.
네까짓 게 억울하면 어쩔 건데?
뻥
아얏~
로크는 정치 사회의 기원을 설명하면서 다음과 같이 이야기했어.
신이 피조물을 만들 때 인간이 홀로 있는 것은 좋지 않다고 판단했다.
그래서 사회를 이룰 강력한 필연성, 사회를 이룰 때의 편리함과 사회를 이루려고 하는 성향을 인간에게 주었다.

뿐만 아니라 인간이 사회를 유지하고 누릴 수 있는 지성과 언어를 주었다고도 했지.
You don't live in a world all alone.
Your brothers are here too.
Sure~
이 글을 보면서 혹시 이런 생각을 하는 사람도 있을 거야.
어, 이건 어디서 들어 본 얘기인데….
맞아, 아리스토텔레스가 이렇게 말했지.
인간은 사회적 동물이다.
비슷하게 들릴지는 모르지만 그와 내 생각은 전혀 다르단다.
사회를 구성하고자 하는 욕구는 인간의 본성이라네.
하지만 그보다 중요한 것은 사회의 구성에서 계약을 통한 사람들의 동의가 중요하다는 것입니다.
로크는 인간이 사회를 이루려고 하는 성향이 있는 것은 사실이지만
자신의 안전과 행복, 재산을 지키기 위해 계약을 맺은 것이라고 생각했어.
아리스토텔레스의 생각과는 달리 이런 분명한 목적을 위해서 사회를 구성하는 것이지.
물론 자신을 스스로 지킬 수 있는, 힘이 센 사람도 있어.
난 혼자서도 충분히 살아갈 수 있다고.
그러나 아무리 힘이 센 사람이라도 그보다 강력한 힘을 가진 위협 세력이 등장한다면
윽~ 호랑이다!
크르르르~ 저녁 식사 발견~

사람들은 자연스럽게 서로 힘을 합해야 한다는 생각을 하게 된다고 로크는 주장했어.
휴~ 호랑이 밥이 되지 않으려면 마을에 내려가 살아야겠다.
와
그래서 여러 사람이 모여서 사회를 구성하고, 그중에 뛰어난 사람을 선택해서 자신들의 권한을 맡기게 된다고 했지.
척
이는 물론 자신의 안전과 행복을 지키기 위한 방법이었지.
챙
챙
그럼 누구를 지도자로 선택하느냐가 중요한 문제가 되겠지?
음… 누구를 선택할까?
로크는 인디언들의 예를 들어서 설명해.
인디언들은 자신들의 지도자로 가장 용감하고 강력한 사람을 선택하거든.
이제부터 자네가 우리 부족을 이끌 추장일세.
처음 사회를 만들었을 때 가장 중요한 문제는 외부의 적으로부터 사람들을 지키는 거야.
어서 이 땅에서 나가, 이 야만인들아~
두
두
두
꺄악~
그래서 전쟁에서 탁월한 능력을 가진 사람이 자연스럽게 지도자가 된다고 생각한 거지.
전사들은 나를 따르라~
비겁한 녀석들, 앞 장면에서는 안 보였었는데 갑자기 등장하다니….

고구려의 시조인 주몽을 알고 있지?
고구려
백제
신라
주몽

당시 훌륭한 왕은 훌륭한 장군일 수밖에 없었어.
두두두

외부의 침입으로부터 사람들을 보호하거나
슈아악
적에게 한 치의 땅도 내줄 수 없다.
멋지다.

다른 집단을 공격해서 땅을 넓히는 것이 지도자의 가장 중요한 역할이었으니까.
와아
이번에는 입장이 바뀌었다. 적의 성을 함락하라~
가자!

인간은 자연 상태에서 자신이 가지고 있던 권리 중에 재판관으로서의 권리를 넘겨준 거지.

서로 자기가 옳다고 주장하면서 다툼이 일어났을 때
흠..
이 아기는 제 아기입니다.
아닙니다, 틀림없이 제가 낳은 아기예요.
앙~

공정한 심판의 존재가 필요하게 된 거야.
스렁
위대한 왕 솔로몬이 판결을 내리노니, 공평하게 그 아기를 둘로 나누어 가지거라.
네에?

친구들끼리 싸움이 일어나면 쉽게 결론이 나질 않지?
닭이 먼저라고~
무슨 소리. 알이 먼저야!
꼬꼬

서로 자기가 잘했고 상대방이 잘못했다고 주장하잖아.
무슨 소리야, 그 알은 닭이 낳은 건데.
흥
흥, 엉터리 같은 소리. 그 닭은 어디서 태어났지?
잘들 논다….
자연 상태에서도 이런 경우가 생길 수 있으므로 중간에서 공정하게 판결해 줄 사람이 필요해.
그게 바로 지도자의 역할이야.
지도자는 지배권을 가짐으로써 그러한 다툼을 해결할 수 있는 존재가 되지.
그 문제를 가지고 한 번 더 다투면, 둘 다 감옥에 처넣어 버리겠다. 알았지?
이런 식으로 해결하려고 하다니….
그럼 절대 군주와 다른 점이 없다고?
처음으로 사회를 만들었을 때 사람들은 훌륭한 지도자를 선택할 거야.
용맹하고 현명한 당신이야말로 우리 부족을 이끌 지도자의 자격이 있습니다.
이 왕관을 받아 주십시오.
그리고 자연스럽게 지도자의 권리가 다음 사람, 즉 지도자의 장남에게 계승되겠지.
훗, 다음은 내 차례인가?
우리도 왕이 되고 싶은데….
물론 큰 문제가 없다면 말이야.
사회를 구성하는 구성원들이 별다른 불만이 없는 이러한 상태가 계속된다면
이제 나의 힘이 다했으니 내 자리를 장자에게 물려줄까 하오.

이러한 상속을 암묵적으로 동의하게 되겠지.
새로운 국왕도 선왕처럼 나라를 잘 다스리겠지?
아무렴. 그래야지.
처음 사회를 만들 때처럼 분명한 계약을 맺지는 않지만, 자신의 안전을 지켜 준다는 믿음을 가지고 받아들이는 거지.
스윽
그러나 로크가 보기에 이런 상태는 오랫동안 지속되기는 힘들어.
투둑
왜냐하면 언젠가는 지도자로서의 덕을 갖추지 못한 후계자가 나타나게 되고
으하하하, 이제 이 나라는 내 것. 내 맘대로 다스릴 테다.
선왕의 발끝도 못 미치는 품성이네….
사람들은 불만을 터뜨릴 수밖에 없을 테니까.
치이이이…
왕이 자신의 재산을 늘리고 자신의 욕심을 채우기 위해서 권력을 남용하는 일이 지속된다면
세금을 100% 올리고, 세금을 내지 않는 녀석들은 모두 감옥에 집어넣어라.
세상에….
당연히 사람들은 반발할 거야.
우우~ 당장 물러가라. 왕이 될 자격이 없다.
이것들이 반항을….
로크가 생각하는 시민 사회의 가장 중요한 목적은 자신의 재산을 지키기 위한 것이야.
후후
내 소중한 재산.
따라서 왕이라고 할지라도 자기 재산을 침해하려고 한다면
짐이 다스리는 땅에서 재산을 모았다면, 그건 당연히 짐의 재산이기도 하다.

당연히 반발하게 되겠지.
헛소리하지 마세요. 이건 제 노동으로 벌어들인 정당한 저의 재산이라고요.
감히 왕의 명령을 거역하다니….
그런데 절대 군주제에서는 왕의 이러한 잘못을 호소할 곳이 없어.
헉
내가 왕보다 더 큰 힘을 가지고 있지 않은 한 신에게 기도하는 수밖에….
모든 권력이 왕에게 있으므로 왕이 스스로를 벌하기 전에는
백성들에게 내가 잘못했구나. 짐에게 큰 벌을 내리리라~
왕의 잘못을 고칠 방법이 없기 때문이야.
…라고 말할 왕이 어딨냐?
베~
로크가 보기에 모든 절대 군주는 자연 상태에 있는 것과 같아.
자연 상태에서 인간은 누구의 허락을 구할 필요도 없고, 타인의 의지에서 벗어난 채 자기 마음에 드는 일을 하니까.
딱 우리한테 들어 맞는 말이잖아…
자연 상태와 시민 사회의 가장 큰 차이는 자신과 관련된 문제를 스스로 해결하느냐
내가 점찍은 사냥감에 손대다니 결투다.
흥, 누가 무서워할 줄 알고?
아니면 공정한 재판관이 존재하고 그 심판에 따르느냐 하는 것이거든.
탕
형법 제23조 4항에 근거, 피고는….
탕
탕
왜 절대 군주가 자연 상태나 다름없느냐 하면, 절대 군주는 공정한 재판관을 가지고 있지 않고
감히 누가 나를 심판한단 말인가?
흠!

절대 군주의 잘못에 대해서 백성들이 지적하거나 호소할 수 있는 권위 있는 존재도 없기 때문이야.
누구든지 내 욕을 하기만 하면 그냥 불경죄로….
덜
덜
물론 절대 군주제에서도 재판부와 입법부는 존재해.
백성들 사이에서 일어나는 여러 가지 문제들을 법률로 처벌하거나, 백성들의 재산을 보호하기 위한 행동을 할 수 있어야 하니까.
그러나 절대 군주가 저지른 잘못이나 실수는 그 누구도 심판하거나 처벌할 수 없어.
공식적으로 로마를 불태운 것은 기독교인들이라고 발표하도록~
저러다 천벌 받지.
활활
심지어 용기 있는 누군가가 그런 시도를 한다면
전하, 흉년이 들어 온 백성이 굶어 죽어 가는 마당에 하루도 빠짐없이 술판을 벌이시다니….
감히 네가 짐의 잔치를 망치려는 게냐?
거꾸로 반역자로 죽임을 당할 수도 있어.
당장 끌고 가 처형시켜라.
바로 이런 것 때문에 시민 사회에는 권위 있는 입법부가 필요한 거야.
그래야만 왕도 다른 사람들처럼 동등한 처벌을 받을 수 있게 되거든.
새로 입법 제정된 헌법에 따르면 왕이 위법을 저질렀을 경우 자격을 박탈한다고 되어 있습니다.
탕
말도 안 돼.

모든 사람은 동등한 권리를 가지고 있고, 동등하게 처벌할 수도 있어야 하기 때문에, 왕권을 제한하는 기구가 반드시 필요해!
왕도 일반 백성들처럼 입법부의 구성에 참여해야 하고 입법부가 만든 법률을 따라야 해.
잠깐, 그렇다면 왕도 이렇게 감옥에 갇힐 수 있다는 얘기야?
그러니까 법을 어기지 말았어야죠.
그런 법이 어딨어
당시 영국에는 입법부가 존재하고 있었어.
우리는 법을 만드는 사람들이랍니다.
그러나 역할을 제대로 하지 못했지.
아흠~
탁
하지만 할 일이 별로 없네….
올리버 크롬웰을 기억하지?
오래간만에 다시 등장하는군.
그는 입법 의원에 선출되었지만, 소집 한번 되지 않고 아무 일도 못했어.
도대체 11년 동안이나 의회를 소집하지 않다니….
당시 영국의 입법부는 왕의 권한을 적절하게 제한하는 역할을 하지 못했으므로 국민들의 불만이 대단했어.
왕의 시녀 노릇을 하려면 입법부가 왜 필요한 거야?
그러게 말야.
로크가 입법부를 강조하는 이유도 당시 영국의 이러한 상황 때문이야.
국가의 가장 중요한 정치 기관은 입법부입니다. 왕보다 우선이라고요.
뭐가 어쩌고 어째?
절대 군주의 문제점을 직접 체험하고 있었기 때문에, 더욱 이런 생각을 할 수밖에 없었지.
로크는 시민 사회와 절대 군주는 절대로 함께 존재할 수 없다고 생각했어.
절대 군주
시민 사회
기름
물
물과 기름 사이라고나 할까?

왜냐하면 시민 사회는 자연 상태의 사람들이 자신이 자연 상태에서 누리던 권리를 일부 포기하면서 계약을 맺은 것이기 때문이야.
자연 상태에서 개인과 개인 사이의 충돌이 벌어지면 당사자들에게 재판권이 주어지는데
씩 씩
내 아들이 당신 아들과 싸우다 큰 상처를 입혔다고?
이걸 어떻게 책임질 거요?
각각의 당사자들은 대부분 자신과 자신의 친구나 친척에 대해서 편파적일 수밖에 없다고 로크는 생각했지.
아이들이 다 싸우면서 크는 거지, 뭐 그런 걸로 여기까지 찾아왔소?
댁의 아이가 얻어맞았어도 그런 소릴 할 것 같소?
쩝
이러한 단점을 없애고자 사람들은 시민 사회를 구성했고, 그것이 시민 사회의 중요한 목적인 거야.
그런데 절대 군주만이 자연 상태의 권리를 그대로 가지고 있으면서
나는 자연법이 설정하는 제한된 범위에서 무엇이든 마음대로 할 수 있지.
다른 사람들을 지배하려고 한다면 그건 정당하지 않다고 로크는 말했어.
우우~ 그런 불공평한 게 어딨어요?
모든 개인이 평등해야 한다고요.
그렇다면 시민 사회를 구성하고 난 이후에 중요한 결정을 어떻게 내리는 것이 좋을까?
이것에 대해 로크는 이렇게 생각했어.
일정한 수의 사람들이 하나의 공동체나 정부를 형성하기로 동의했을 때, 그들은 통합된 하나의 정치체를 이룬다.
그런데 그 안에서는 다수가 나머지에 대하여 행동하고 결정할 권리를 갖는다고 말이야.
오늘은 제17대 대통령을 선출하는 투표일입니다
투표소
이는 바로 다수결의 원리를 이야기한 거야.
김영희
강철수
하동현

사회의 구성원들 모두의 동의를 얻는다는 것은 현실적으로 힘들어.
따라서 다수의 의견을 따르기로 동의한 것이 바로 공동체라는 거야.
나는 이것을 일체(一體)라고 표현하고 싶어.
일단 사회를 구성했다면 그 안에 소속된 구성원들은 한 몸처럼 행동하고 따라야 한다는 의미지.
째깍
째깍
시계의 톱니바퀴처럼….
만약 이러한 원칙을 받아들이지 않는다면 사회는 어떤 결정도 내리지 못하게 되고
흔들
흔들
여긴 너무 힘들어. 내가 위로 갈래.
나도 나도….
이제 와서 무슨 소리야.
공동체는 무너지게 된다고 로크는 말했어.
으엑~
아이쿠~
켁~
우르르
공동체를 구성하고 정부를 만드는 과정에서 가장 중요한 역할을 하는 것은 바로 사람들의 동의야.
후후
축구 할 사람 여기 모여~
자신의 안전과 행복, 재산을 지키기 위해 자연 상태의 인간들이 자발적으로 자신의 권리를 내놓는 것, 그것을 '자발적 동의' 라고 하지.
통통
동의에는 명시적인 동의와 암묵적인 동의가 있단다.
명시적이란, 문서로 작성하거나 말로 약속하는 것과 같은 것이고
나 할래.
나도 끼워 줘.
암묵적이란, 말을 한 것도 아니고 문서로 작성한 것도 아니지만

일에 대하여 분명한 반대 의사를 표현하지 않았기 때문에 받아들인 것으로 인정하는 것을 말해.
와아~
자, 그럼 모두 나를 따라와.
처음 사회를 구성할 때에는 구성원 모두의 자발적이고 명시적인 동의가 필요해.
척 척 척
찬성!
동의!
나도…
자기 자신의 권리 중 일부를 내놓아야 하기 때문에 분명한 의사 표현이 필요한 거지.
그런데 그 후손들은 어떨까?
저요?
그들은 자신이 동의한 상태가 아니야.
그러면 그들은 사회의 구성원이 되기 위한 별도의 절차가 필요할까?
로크는 이들에 대해서 이렇게 설명하고 있어.
후손들은 성인이 되기 전까지, 즉 부모에게 양육되는 시기에는 부모가 속한 사회의 법을 따라야 한다.
그 이유로 로크는 아직 자식의 판단력이 완전하지 않기 때문이라고 했어.
우왕~ 나 여기 있는 장난감 다 사고 싶어.
앙앙
그러나 로크는 그들이 성인이 된 이후에는 자신의 선택에 따라
비록 내 조국이지만 난 사회주의가 싫어.
정부나 국가를 선택할 수 있어야 한다고 주장했어.
장벽을 넘어 내가 원하는 곳으로 탈출~
삐이익~
삐이익…

이런 권리는 누구에게나 보장되어야 해!
로크가 이렇게 주장한 이유는 인간의 천부적인 권리는 그 누구도, 심지어 부모라 할지라도 침해해서는 안 되기 때문이야.
들으셨죠? 전 싫어하는 반찬을 안 먹을 권리가 있다고요.
이 녀석, 그건 단순히 편식하는 거잖아!
그러나 자식이 부모의 재산, 즉 토지를 상속받는다면 상황이 달라지게 돼.
앞으로 이 땅의 주인은 바로 너다.
토지는 부모가 속한 사회의 보호를 받아 온 것이고, 토지를 상속받는다는 것은 그 사회의 보호를 인정하는 것이니까.
이 문서가 바로 '토지 대장' 입니다.
나라가 법적으로 이 땅이 제 것이라는 걸 증명해 준 거죠.
따라서 자식도 부모의 사회를 인정하고 법을 지켜야 하는 의무가 생기게 되는 것이지.
결국 내가 강조하는 원리는 간단하단다.
사회는 사람들의 계약…
사회는 사람들의 계약으로 만들어진 것이다. 따라서 가장 중요한 것은 각 개인이다.
그들의 권리를 기반으로 사회가 만들어진 것이고, 그들의 기본적인 권리를 지켜 주는 것이 왕의 역할이다.
나는 나의 백성과 국가를 위해 일할 것을 신께 맹세합니다.
성경
사회를 만든 가장 중요한 목적은 자신의 재산을 지키기 위해서다.
거기 서라~
삐이익
다다…

따라서 왕이라 할지라도 국민의 재산을 함부로 침해할 수 없다.
왕의 권한은 제한받아야 마땅하다.
자유민은 그와 동등한 자의 적법한 판정에 의하지 않고는 체포, 구금되거나, 재산이 박탈되거나, 법적 보호가 박탈되지 않는다.
왕도 국민과 동등하게 처벌받아야 한다.
그러기 위해서는 입법부가 필요하다.
입법부는 법률을 제정하거나 수정 또는 폐기하는 국가 기관입니다. 우리나라에서는 그것을 '국회' 라고 부르죠.
국민들의 기본적인 권리를 지키기 위해서는 선출된 대표들이, 다수결의 원칙에 따라 중요한 결정을 내려야 한다.
출석 의원 75% 이상의 동의를 얻어 법안이 가결되었음을 선포합니다.
누구나 자신이 동의한 경우를 제외하고는, 복종의 의무를 지지 않는다.
스스로 자신의 국가를 선택할 수 있어야 하고, 떠날 수 있는 자유도 보장받는다.
삐이익…
이러한 주장을 통해 로크는 새로운 국가 건설을 주장하게 되었지.
왕의 권한은 제한할 수 있고, 모든 사람이 자신의 권리를 올바로 보장받을 수 있는 국가 건설을 제안한 거지.
지금 우리가 살고 있는 국가가 바로 로크가 말하던 국가라고?
그래서 '로크의 시대' 라니까.

TWO
TREATISES
OF
Government:
ESSAY
CONCERNING THE
True Original, Extent, and End
OF
Civil Government.
LONDON,

올리버 크롬웰

▲ 올리버 크롬웰은 독재자라는 이미지가 강하지만 실제로는 가장 완벽에 가까운 지도자이다.

올리버 크롬웰(Oliver Cromwell, 1599~1658)은 잉글랜드 동부 헌팅던에서 태어났습니다. 영국 역사는 물론 유럽 역사 속에서 중요한 위치를 차지하는 청교도 혁명을 일으킨 크롬웰은 뛰어난 정치가이자 군대의 지도자였으며, 독실한 청교도였습니다.

크롬웰 집안은 헨리 8세가 수도원을 해체하여 나눠 준 재력으로 세력을 얻은 프로테스탄트 가문이었습니다. 크롬웰의 청교도적인 배경은 집안의 영향과 더불어 그가 공부했던 학교의 반反가톨릭 정서 때문입니다. 또한 '젠트리'라는 신분도 그의 종교적 신념을 강하게 만들었지요.

크롬웰은 1628년 자신의 고향에서 의원이 되었지만 찰스 1세가 의회를 해산하는 바람에 눈에 띄는 활동을 하지는 못했습니다. 크롬웰이 본격적으로 활동한 때는 11년 만에 다시 소집된 1640년부터였습니다. 찰스 1세의 실정을 본격적으로 비판하면서 1653년까지 지속된 장기 의회에서 크롬웰은 비로소 두각을 나타내기 시작했습니다. 크롬웰이 자신의 위치를 굳건히 한 것은 의원으로서가 아니라 군대의 지

휘관으로서였습니다. 1642년부터 시작된 왕당파와 의회파의 내전 과정에서 크롬웰은 '철기병'이라는 새로운 군대를 조직하여 왕당파에 승리를 거듭하면서 훌륭한 지휘관으로서 명성을 떨치게 되었습니다. 그는 병사들의 처우를 개선하고 급료를 안정적으로 지급하도록 함으로써 병사들의 신임을 얻었습니다. 체계적인 훈련과 뛰어난 전술적 능력이 결합되면서, 크롬웰은 적과 아군 모두에게 명성을 떨쳤습니다.

▲ 올리버 크롬웰이 조직한 군대인 철기병

결국 내전은 의회파의 승리로 끝났으나, 정작 승리의 주역인 군인들은 의회의 권력 다툼 과정에서 버림받았습니다. 이에 크롬웰은 의회에 크게 실망하여 자신의 군대를 이끌고 런던을 떠났습니다. 이는 크롬웰의 단호함과 신의를 중요시하는 성격을 잘 보여 주는 대목입니다. 이후 찰스 1세와 왕당파가 힘을 모아 반격을 시도하자 의회에서는 크롬웰에게 다시 협조를 구하게 되었습니다. 내전에 패한 찰스 1세가 사형에 처해지자 크롬웰의 경쟁자는 더 이상 존재하지 않았고, 1653년 마침내 크롬웰은 호국경에 취임하여 영국에서 전무후무한 공화정의 시대가 열리게 됩니다. 호국경에 취임한 크롬웰은 법 개혁과 청교도적 질서의 확립, 종교적 관용 정책, 교육의 진흥, 통치의 분권화 등을 추진하였고 상당 부분 성공하였습니다. 또한 해외로 눈을 돌려 여러 차례의 원정에서 성공하여 국제사회에서 영국의 힘을 강하게 만들었습니다. 그러나 1658년 병으로 갑작스레 사망하면서 짧은 공화정은 막을 내리고 맙니다.

크롬웰은 흔히 포악한 독재자로서 피도 눈물도 없는 인물로 오해를 받는 경우가 많습니다. 그러나 크롬웰은 부하들에게 신뢰받는 훌륭한 군대의 지휘관이었으며, 종교적으로 관용을 베푸는 열린 마음을 가지고 있었고, 영국을 사랑한 애국자였습니다.

제8장 정부의 목적과 형태

사람들은 왜 자연 상태를 벗어나서 공동체를 구성하려고 할까?
거기에 대한 로크의 대답은 간단명료해.
자연 상태에서 인간은 권리를 가지고 있기는 하지만, 그 향유가 매우 불확실하고
끊임없이 다른 사람이 침해할 위험에 놓여 있기 때문이야.
얘들아, 엄마 왔다~
썩 꺼져, 이 못된 늑대야.
저것 좀 보라고.

누구도 자신의 자유를 구속당하고 싶진 않겠지.
마찬가지로 자신의 안전을 침해받는 것도 원하지 않아.
들키지 않게 조심 조심...
자신의 재산, 자유, 행복을 보존하고 싶은 것이 인간의 자연스러운 욕망이니까.
벌떡
도둑이야!
따라서 자신의 권리를 내놓더라도 공동체를 구성해서, 자신의 안전을 보장받고 싶어 하는 거지.
어서 타, 이 도둑놈아.
삐뽀
삐뽀
그렇다면 자연 상태에서는 왜 안전이 보장되기 힘들까?
저 녀석이 우릴 노리고 있어.
로크는 자연 상태의 결함을 크게 세 가지로 지적했어.
무엇보다 자연 상태에서는 실정법이 없지.
실정법이란 경험적 · 역사적 사실을 바탕으로 만들고, 현실적인 제도로 시행되고 있는 법이야.
자연법과 대립되는 개념으로 성문법, 관습법, 판례법 등이 이에 속하죠.
물론 자연 상태에서는 자연법이 존재하기는 해.
자연법이란 인위적이지 않은 자연적 성질에 바탕을 둔 보편적이고 변하지 않는 법을 말하지.
진정한 법(자연법)은 모든 인간 안에 스며 있는 올바른 이성.
키케로
아리스토텔레스
자연법은 항상 똑같은 효력을 지닌다.

하지만 대부분의 사람들이 자연법에 대해 무지하고 관심이 없어.
자연법, 그게 뭐야?
자연 보호에 관한 법인가?
틀림없이 존재하기는 하지만, 분명하지가 않은 거지.
?
그리고 법률은 동일한 사건이나 비슷한 경우에는 판결이 항상 같아야 하는데
본 판결은 형법 제25조에 근거한 것으로….
자연 상태에서는 불규칙적이고 예상하지 못한 판결도 가능해.
예를 들어 친한 친구나 친척이 관련된 사건이라면 어떨까?
헤헤 삼촌….
이럴 때, 과연 그 사람이 아무 관련이 없는 사람을 판결하는 것처럼 담담하고 냉정하게 판결할 수 있을까?
두 번째로 로크는 자연 상태에서는 공정한 재판관이 없다는 점을 지적했어.
퍽
퍽
앞에서 이야기했듯이 서로의 이해관계가 부딪치게 되면
얏호, 사슴 사냥 성공~
뭐라고?
사람들은 자신에게 유리한 쪽으로 해석하기 때문에 공정한 판단을 내리기 힘들게 되지.
아옹 다옹
무슨 소릴 하는 거얏,
이 사슴은 내 도끼를 맞고 쓰러진 거라고.
내 돌도끼가 먼저야.
이때 중간에서 공정하게 판단을 내려 줄 존재가 자연 상태에서는 찾아볼 수 없다는 거야.
사삭
이때다….
퍽…

축구나 농구 중계를 보면서 심판에 대해 생각해 봤니?
심판이 필요한 이유는 공정한 게임을 진행함으로써
으쓱
삐익~ 페널티킥.
척
그리고 넌 퇴장이야!
양 팀이 결과에 대해 불만을 가지지 않도록 하는 거야.
칫~
골인~
착
그러기 위해서는 양 팀에서 모두 인정할 수 있는 존재가 심판이 되어야 해.
자연 상태는 심판이 없는 축구 경기와 같은 상태야.
와아~
정강이를 차 버려~
와아~
손으로라도 막아~
마음만 먹으면 반칙이 가능하고
야, 그건 반칙이라고.
다다
심판도 없는데 무슨 상관이야.
승부에서 진 팀은 그 결과를 쉽게 받아들이지 않겠지.
푸하하~ 우리가 이겼다.
왕
인정 못해~
그래서 심판이 필요한 거지.

세 번째, 로크는 설사 공정한 판결이 내려질 수 있더라도
이 녀석, 누가 실내에서 축구공 갖고 놀래?
벌컥
꽃병이 깨졌잖아.
그러한 판결이 올바로 실행되기 힘들다고 했어.
그 꽃병은 제가 깬 게 아녜요.
그럼?
왜냐하면 부정한 일을 저지른 사람은 순순히 자신의 잘못을 인정하지 않으려고 할 테고
도, 동생이 깼어요. 제가 봤다고요.
뭐라고?
온갖 방법을 사용해서라도 자신을 방어하려고 시도하기 때문이지.
아직 일어서지도 못하는 네 동생이 꽃병을 깼다고?
아, 아까 잠깐 일어났었는데….
그러나 자연 상태에서는 이러한 판결을 집행하도록 하는 권력이 존재하지 않기 때문에
마치 정글 속의 동물들처럼 힘이 센 사람이 자신의 뜻대로 행동할 가능성이 높아.
먹잇감을 놓고 썩 꺼져~
크르릉
정의가 반드시 이길 수 없게 되지.
쳇, 나쁜 녀석. 남이 잡은 먹이를 가로채다니….
쩝
위와 같은 세 가지 이유 때문에 사람들은 자신들의 자유가 최대한 보장되는 자연 상태를 벗어나
자연 상태는 너무 불안정해.

공동체, 즉 사회를 구성하고자 노력한다고 로크는 말했어.
자신과 생각이 같은 사람들을 찾아서, 하나의 정치 사회를 구성하는 거죠.
사람들이 사회를 이루려는 가장 중요한 목적은 바로 '재산의 보존' 때문이야.
재산이란 돈을 의미하는 것이냐고?
아니. 재산이 반드시 돈을 의미하지는 않아.
엄밀히 말해 **생명**과 **자유**, **자산**을 의미하지.
그래서 로크를 자유주의의 창시자라고도 해.
자유주의란 사회 제도가 자본의 무한 축적을 위해, 시장의 자기 조절 능력에 그 기초를 두어야 한다는 이념이지.
좀 더 쉽게 설명하자면, 중요한 것은 내가 능력이 된다면
후후
이제부터 우리가 개발한 새로운 컴퓨터 운영 체제를 전 세계 사람들이 사용하게 될 거야.
무한히 돈을 벌 수 있도록 놔두어야 한다는 거야.
덕분에 세계 최고 갑부 자리에 오르게 되셨는데 한 말씀만….
법과 제도는 이러한 자유를 침해해서는 안 된다는 겁니다.
내가 하려는 얘기가 바로 저거야.
여러분은 이 말을 어떻게 생각해?
그거야 당연한 것 아닌가요?
능력만큼 버는 게 뭐가 문제죠?

하지만 이 문제는 대단히 중요한 논쟁을 담고 있어. 바로 자유와 평등의 문제 말이야.
자유
평등
왜냐하면 로크의 주장대로 모든 것을 시장의 자기 조절 능력에 맡겨 두게 되면
빈부 격차의 문제가 생기게 되거든.
자, 건배!
좋소.
이런 상태를 계속 유지하게 되면 오히려 사회가 불안해질 수도 있지.
가난한 사람들은 자신의 권리를 올바로 행사하기 어려워질 수도 있어.
당장 물건 치우지 못합니까?
거리 지저분하게…
돈 많은 사람들이 자신들에게 유리한 법과 제도를 유지하려고 노력할 것이 분명하므로
우린 걱정할 것 하나 없다고. 법을 만드는 정치인은 언제나 우리 편일 테니 말야.
아무렴~
권력까지도 그들이 가질 수밖에 없지 않겠니?
그렇게 되면 가난한 사람들이 불만을 가지게 될 테고 변화를 요구하게 될 거야.
와아~.
힘들어서 못 살겠다.
우리도 사람답게 살 권리가 있다.
와아
서민을 위한 정치를 해다오~
로크는 이 부분에 대해서 아주 순진한 생각을 했어.
지나친 걱정은 금물!!

인간은 자신이 필요한 만큼만 가지려고 할 테니까 염려 말라고들.
어리숙하긴….
그러나 현실은 그렇지 않아.
화폐가 생기면서 인간은 무한한 재산 축적이 가능해졌어.
끄응
어이구~ 무거워라.
로크가 활동하던 시대와는 비교도 안 될 정도로 빈부 격차가 커진 거야.
화폐가 저렇게 발달하게 될 줄 누가 알았나?
부웅
로크는 이러한 문제에 대해서는 자세히 살펴보지 않았어.
도대체 왜 이런 문제를 대충대충 처리한 거죠?
아, 저 그건….
나는 당시 약자의 입장이었기 때문에, 나보다 강한 자들을 반박하는 것에 관심을 가지고 있었을 뿐입니다.
흐음, 한마디로 자기보다 약자의 입장에 대해서는 미처 생각을 안 했다 이거군.
아무래도….
로크 씨, 그런데 그것 때문에 당신의 책을 비판하는 사람도 있다는 걸 아십니까?
정말 그런가요?
《정부론》의 의미가 크긴 합니다만, 그 부분이 아쉽다는 생각이 들더군요.
로크가 자신보다 어려운 사람들 생각을 좀 더 했더라면 《정부론》은 더 큰 빛을 발했을 거야.
자… 이제 그만하고 빨리 본론으로 돌아가죠?

로크는 인간이 만든 정부는 위와 같은 자연 상태에서의 문제를 해결할 수 있다고 생각했어.
사람들은 자연 상태에서 누리던 자유를 포기하고
홀랑 벗고 수영해도 누가 뭐랄 사람이 없지.
그런 자유는 이제 끝이야.
자신의 권리를 한 사람의 지도자에게 양도하지.
철컥
그러면 권리를 양도받은 지도자는 오직 법률에 의해서만 그 권리를 사용해.
자, 내가 어떤 권리를 행사할 수 있는지 설명해 보게.
잠깐만요. 법전을 한번 살펴봐야….
팔락
법률은 입법부에서 만들고, 입법부가 만든 법률을 지키도록 공정한 재판관도 임명해.
어, 이건 지금 우리가 살고 있는 국가의 형태와 비슷하잖아?
로크는 지도자가 가지고 있는 권력과 물리력은
오직 개인의 안전과 행복을 지키기 위해서 사용된다고 생각했어.
꺼억
저도 로크의 의견에 동의합니다만….
이상한 소리 하지 마시고 선을 따라 똑바로 걸어 보세요.
어때? 가장 이상적인 형태의 정부 같지 않아?

로크는 만약 그렇게 되지 않을 경우를 대비해 국민의 저항권 개념을 마련해 놓았어.
그 얘기는 뒤에서 자세히 다루도록 할게.
결국 가장 중요한 권력은 법을 만드는 집단에게 주어져 있어.
누구든 공동체의 구성원은 법을 따라야 하니까요.
이것이 공동체를 구성하는 사람들이 동의한 가장 중요한 원칙이야.
난 이런 권리를 '입법권' 이라고 불렀어.
결국 중요한 것은 '법을 만드는 권리' 라고 할 수 있지.
정부나 국가는 법을 통해서만 지배해야 한다는 법치주의를 이야기하는 거야.
영국 헌법의 기본 원칙은 '누구도 법 이외의 것에 지배되지 않는다.' 는 것입니다.
물론 '주권자도 법의 지배에 복종하지 않으면 안 된다.' 는 것이죠.
에잉….
로크가 생각하는 정부의 목적은 구성원 개개인의 자유와 행복, 재산을 보호하는 것이지.
이러한 목적에 동의한 사람들이 자신이 가지고 있던 권리를
여기서의 권리란 스스로를 지키고 다른 사람을 심판할 수 있는 권리를 말합니다.
자신이 동의할 수 있는 사람이나 집단에게 맡기는 것이 정부라는 거야.
믿음직한 경찰, 안전한 나라~
그럼 정부는 모두 똑같은 형태를 가질까?
아니 아니~ 물론 그렇지는 않아.

로크는 입법권이 누구에게 있는가에 따라 정부의 형태를 나누었어.
민주정, 과두정, 군주정 등등….
다수의 사람들이 공동체를 위한 법률을 만들고
그것을 집행할 사람들을 임명한다면 그게 바로 민주정이야.
누구를 뽑을까….
3000
2000
000
지금 우리가 살고 있는 형태의 정부와 유사하지.
민주 정치는 모든 정치 활동을 여론과 연결시켜 그 정당성을 인정받으려 하기 때문에 '여론 정치'라고도 부른대.
민심은 천심이라는 말처럼?
선택된 소수 혹은 그 상속인들에게 이러한 권리를 맡긴 경우를 '과두정'이라고 부른단다.
과두 정치?
어디서 들어 본 말 같은데….
과두 정치란 그리스의 정치 변화 속에서 등장한 정치 형태야.
몇몇 사람들이 권력을 나누어 가지고 나라를 다스리던 형태지.
과두정은 과두 정치(寡頭政治) 혹은 과두제(oligarchy)라고도 불립니다. 그리스어에서 '소수(小數)'를 뜻하는 'oligo'와 '지배(支配)'를 뜻하는 'arkhos'에서 비롯된 말이죠.
과두제는 특정한 통치 형태를 뜻한다기보다는 권력을 차지하고 행사하는 사람이나 집단의 수에서 비롯된 개념이죠.
그리고 권력을 한 사람이 소유하게 되면 군주정이 되는 거지.
군주란 국가를 대표하여 통치의 중요한 부분 또는 행정권을 담당하는, 국가의 상징적인 존재죠.

군주정이라 할지라도 권력이 그 후손에게 당연히 세습되는 형태를 세습 군주정이라고 해.
다음은 내가 왕.
다음은 나.
왕이 자신의 아들에게 권력을 물려주는 것을 생각하면 돼.
예전과는 달리 오늘날에는 군주의 실권은 거의 없어졌고 형식적인 것이 되었습니다.
현 영국 여왕 엘리자베스 2세
그렇지 않고 후계자를 다수의 사람들이 선택하게 되면 선거 군주정이 되는 거야.
싹뚝
다음 왕은 선거로 뽑을 거야.
으잉?
이런 형태가 복잡해 보이지만 사실은 크게 두 가지로 나눌 수 있단다.
하나는 공화정이고 다른 하나는 군주정이지.
우리나라는 헌법 제1조에 나오듯이 민주 공화국이야.
① 대한민국은 민주 공화국이다.
② 대한민국의 주권은 국민에게 있고, 모든 권력은 국민으로부터 나온다.
공화정이란 입법권, 행정권, 사법권이 분리되어 있는 정치 제도를 말하지.
공화정이란 군주제에 상대되는 개념으로, 국정에 참여하는 대표자가 국민의 투표로 선출됩니다.
대통령
그러나 군주정이란 이러한 세 가지 권력이 한 사람에게 집중되어 있는 정치 형태야.
크하하하, 이렇게 되면 내가 못할 게 무어냐?
입법권
사법권
행정권
공화정과 군주정에 대한 논란은 로크 당시에 매우 격렬했어.
신이 인류의 원조 아담에게 가족과 자손을 지배할 권리를 수여하고 이 권리는 장자 상속에 의하여 대대로 가부장에게 전해지는 거요. 물론 왕권도 여기에 연유하고~
의회와 행정부(국왕)와의 관계에서는 의회가 우위에 있소.

앞에서도 토리당과 휘그당에 대해서 설명했지만, 절대 군주를 인정하느냐 아니면 입법부의 독립성을 인정하느냐 하는 문제를 두고 날카롭게 대립하던 시대였거든.
크르르
당시 유럽은 대부분의 나라가 군주정이었기 때문에
공화정에 대한 로크의 생각은 파격적이었지.
위험한 녀석이야. 항상 감시를 하라고….
물론 이런 생각이 로크에게서만 발견되는 것은 아니야.
삼권 분립하면 몽테스키외를 빼놓을 수 없죠.
몽테스키외는 '누구도 법 위에 설 수 없다.'는 전제를 중시하면서 '법치'와 '삼권 분립'을 주장한 보르도 출신의 법학자, 정치 사상가란다.
저의 삼권 분립에 대한 주장은 로크의 《정부론》에서 많은 영향을 받은 것입니다.
정부론
로크는 입법권과 행정권에 대해서 이야기하면서 사법권은 행정권의 영역에 속한다고 생각했어.
사실 당시에는 사법권이라는 개념이 미비했죠.
그러나 몽테스키외는 입법권과 행정권 외에 아직 사람들이 관심을 가지지 않았던 사법권을 추가했지.
물론 오늘날 사법권은 독립된 사법 기관에 행사시키는 것이 세계 각국의 공통된 기본 원칙입니다.
왜냐하면 몽테스키외 자신이 판사였거든.

지금은 지구상의 대부분의 나라가 민주정으로 운영되고 있단다.
그럼 여왕이나 왕이 있는 영국과 일본은?
그런 나라들을 입헌 군주제라고 하는 거야.
중요한 건 내가 생각하는 정부가 바로 '민주정' 이었다는 거야.
로크는 사회를 구성한 사람들은 이미 다수에 의한 지배를 약속하고 사회에 들어온 것이라고 생각했어.
끼익!
따라서 다수결의 원리가 사회의 기본 원리라고 보았지.
찬성 51%!
척
다수결의 원리를 부정한다면 그 사람은 자연 상태에 존재하는 것과 같은 거야.
난 반대!
하지만 이런 불만을 이야기하는 사람도 있을 거야.
금연 구역
담배를 피우는 사람이 자신은 금연 구역을 만드는 법에 동의한 적이 없으니, 아무 데서나 담배를 피울 수 있다고 주장하는 경우 말이야.
금연 구역
콜록~
콜록~
그 사람의 주장은 과연 타당한 걸까?
그 법에 찬성한 사람들이나 법을 지키면 될 것 아냐?
후
그러나 사회를 구성하고 그 속에서 자신의 안전을 보장받는다는 것은
촤악—
불이야, 불~ 도와주세요.
사람 살려~

사회의 결정에 따르겠다는 의사 표시를 한 것이야.
삐뽀
삐뽀
생각해 봐. 어떻게 모든 결정을 한 사람 한 사람에게 일일이 동의받을 수 있겠니?
수많은 공무원들이 평생 동안 국민들의 동의 서명 받는 일만 하고 있답니다.
쯧쯧~ 고생이 많군.
반대하는 사람도 있을 수 있고
여기 서명 좀….
서명 같은 소리하고 있네! 난 이 법안에 절대 반대라고.
무관심한 사람도 있을 수 있어.
여기 서명 좀….
관심없으니 옆집으로 가 봐요.
로크가 보기에 사회란 원래 다수에 의해 이끌리는 것이야.
어라라라….
끄응
따라서 이러한 결정을 부정한다면 그는 사회의 구성원이 아니라고 로크는 보았지.
사회의 구성원이 아니면? 그럼? 어쩌라구?
다수의 의견을 따르지 않는 사람은 사회를 떠나서 원래의 자연 상태로 돌아가야 해.
이런 곳으로 가라고?
크르
으르
스스로 자신의 안전을 지키고, 스스로 생존해 나가야 하는 거지.
윽
쉭!
여기서도 내 맘대로 할 수 있는 게 아니잖아?
아, 알았다고.
꾹
이제부터 나도 법을 지킬 거라고….

가끔 국가를 떠나서 자유롭게 살고 싶을 때도 있다고?
자유를 찾아 떠나고 싶다.
국가라는 거추장스러움이 없는 곳이 있을 거야.
촤아아…
과연 그럴 수 있을까?
무인도에 도착해 보니 국가의 중요성을 알겠군.
S.O.S
국가를 부정하는 사람들도 있어.
모든 권력은 필연적으로 악하다!
파괴의 열정은 동시에 창조의 열정이기도 하다.
프루동*
바쿠닌**
개인의 자유를 최대한으로 보장하기 위해서는 국가가 존재해서는 안 된다는 거지!
그런 사람들은 국가란 개인의 자유를 구속하는 존재라고 생각해.
이를 '무정부주의'라고도 하죠.
국
가

*피에르 조제프 프루동 – 프랑스의 사회주의자, 무정부주의의 창시자.
**미하일 알렉산드로비치 바쿠닌 – 제정 러시아의 혁명가, 무정부주의자.

그러나 지금 여러분들이 누리고 있는 여러 가지를 포기해야 하는데 그것이 쉽지는 않을 거야.
이, 이를테면 어떤 것들이 있죠?
전기나 수도, 학교, 의료 보험 등등….
어때, 포기할 수 있겠니?
뭐야? 갑자기 왜 물이 안 나오는 거야.
아… 눈 따가워…
끼릭
이 부분에 대해서도 로크의 생각에 문제가 있다고 생각할 수도 있는데, 그건 지나치게 다수결의 원칙을 강조하고 있다는 거야.

오직 다수에 의한 결정, 혹은 만장일치를 강조하다 보니
소수에 대한 배려가 부족하다는 지적이지.
자… 잠깐. 난… 바… 반대… 켁~
나는 다수의 결정이 언제나 올바르다는 신념을 가지고 있단다.
그런데 이것이 맞는 생각일까?
그, 그럼 소수 의견이 옳다는 말인가?
민주주의의 다수결의 원리를 풍자하는 이야기가 하나 있어.
야옹~
초등학교에서 선생님이 학생들 앞에 고양이 한 마리를 놓고 물어봤어.
얘들아, 이 고양이는 암컷일까, 수컷일까?
학생들 중 한 명이 이렇게 대답했지.
척
선생님 투표로 결정해요.
뭐라고?
모든 정답이 다수의 결정과 같지는 않을 거야.
갈릴레오 갈릴레이
그렇게 생각하는 건 자네 혼자뿐이라고~
다수결은 이런 약점을 가지고 있지.
그래도 지구는 돈다.
빙
글

로크는 이런 세세한 부분에 대해서는 설명하지 않았어.
아, 뭐 물론 저도 완벽하지는 않으니까요….
로크가 생각하는 정부는 국민을 위해 존재하는 것이야.
나는 헌법을 준수하고 국가를 보위하며 조국의 평화적 통일과 국민의 자유와 복리의 증진 및 민족 문화의 창달에 노력하여….
버락 오바마
국민의 재산과 안전을 보장하고 행복을 추구하도록 하는 것이 정부의 가장 중요한 목적이지.
스윽
이러한 목적을 달성하기 위해서 법을 만들고, 군대를 두는 거야.
MP
MP
국민들은 자신의 권리를 일부분 포기하고 국가를 만들어 행복하게 살길 원하는 거지.
훌륭한 지도자를 선출하고 그에게 자신들의 권리를 맡김으로써 권력을 주는 거야.
다수결로 지도자를 선출합니다.
그러나 지도자라 할지라도 법을 어길 수는 없도록 함으로써 그 권력을 제한하고자 했지.
그 권력을 법으로 제한할 수 없을 때도 있었지. 후후….
나는 법치주의, 다수결의 원리, 공화국, 민주주의, 자유주의에 바탕을 둔 정부를 이상적인 정부로 생각했단다.
자, 그럼 이제는 내가 생각하고 있는 정부를 자세히 들여다볼까?
저벅

정부의 유형

▲ 몽테스키외

몽테스키외는 정부의 유형을 공화정, 군주정, 전제정 등 크게 세 가지로 분류하였습니다. 이는 주권이 누구에게 있는지 그리고 권력의 근거가 무엇인지에 따른 분류입니다.

공화정은 주권이 국민 전체 또는 일부에게 있으며, 권력의 행사는 법에 의해서 이루어지는 정부를 말합니다. 몽테스키외는 이를 다시 민주정과 귀족정으로 나누었습니다. 민주정은 주권이 국민 전체에게 있는 정부이고, 귀족정은 주권이 소수의 귀족들에게 있는 정부입니다. 군주정이란 주권이 군주 한 사람에게 있지만 권력의 행사는 법에 의해 이루어지는 정부를 말합니다. 반면 전제정은 주권이 군주에게 주어진 것은 군주정과 같으나, 권력의 행사가 법에 근거하는 것이 아니라 군주 개인의 판단에 맡겨진다는 차이가 있습니다.

몽테스키외는 각각의 정부를 유지하는 원리가 있다고 주장했습니다. 공화정은 덕, 군주정은 명예이며 전제정은 공포가 그것입니다. 공화정의 원리인 덕은 도덕적인 의미가 아니라 법을 존중하고 집단 전체에 헌신하는 것을 의미합니다. 개인들의 참여가 필수적인 공화정에서는 각 개인이 전체에 헌신하고자 하는 주인의식이 유지되어야 하는데, 이때 불평등이 생기지 않도록 조심해야 합니다. 국가가 불평등하다고 생각하는 사람이 많아지면 주인의식이 사라지게 되고, 전체를 위해 헌신하겠다는 마음도 없어지기 때문이지요.

군주정을 유지하는 원리인 명예는 자신의 신분에 대한 존경심을 의미합니다. 군주정에서는 귀족들의 역할이 중요한데, 그들이 군주와 백성의 사이를 연결하는 고리의 역할을 하기 때문입니다. 군주는 이들의 명예심을 이용하여 정치를 하기 때문에 명예심이 중요한 통치 원리입니다. 귀족들이 좀 더 인정받고, 높은 지위로 올라가려는 야망을 가지도록 하는 것이 중요하지요. 또한 귀족들은 군주를 견제하는 역할도 해야 합니다. 그래야만 군주정이 전제정으로 변질되지 않으니까요.

전제정이란 군주가 권력을 독점하고 법조차도 의미가 없는 정부 형태입니다. 전제정은 군주의 힘이 강력해야만 유지되는데, 이는 혼자 권력을 독점하기 위해서는 귀족까지도 힘으로 억누를 수 있어야 하기 때문입니다. 그리고 군주는 자신의 힘을 종종 여러 가지 방법을 통해 보여 줌으로써 사람들의 공포감을 자극해야 합니다. 그래야만 자신에게 도전할 엄두를 내지 못하니까요. 전제정하의 국민은 노예와 같습니다. 전제 군주는 국민에게 복종만을 요구하며, 개인의 자유 의지는 인정하지 않습니다. 따라서 전제정 하의 국민들은 점점 무기력해지고 육체의 편안함만을 추구하게 되지요.

몽테스키외는 《법의 정신》을 통해 정부의 유형을 분석하고, 바람직한 정부의 모습에 대한 의견을 제시하고 있습니다. 몽테스키외는 영국인보다 영국을 더욱 잘 이해한다는 평을 들을 만큼 영국에 대한 애정이 강했는데, 특히 영국의 권력 분립을 높이 평가하였습니다. 그는 입법권과 행정권, 재판권이 서로 분리되어서 견제와 균형을 유지해야 한다고 생각했고, 이러한 삼권 분립 사상은 현대 국가의 기본 원리로 정착되었답니다.

제9장 입법권의 범위에 대하여

이제 인간이 왜 사회를 구성하고 그 안에서 살고자 하는지 이해했지?
그, 글쎄요….
아직 잘 모르겠는데.
다시 한 번만 설명해 주세요.
간단하게 말하면 자신의 것을 보다 안전하게 보존하고자 하는 욕구가 사회를 구성하게 한 가장 큰 이유인 거야.
비슷한 이유로 몇몇 동물들도 사회를 구성하지.
부웅~
여기서 자신의 것이란 생명, 자유, 자산을 말하지.
그렇다면 사회를 구성하기만 하면 안전한 것일까?

안전을 보장하기 위해 반드시 필요한 것이 있는데, 그건 무엇일까?
경찰? 경호원? 검사? 슈퍼맨?
물론 그것들이 안전을 보장해 줄 수 있는 장치는 되겠지.
삐뽀
경찰은 항상 여러분과 3분 거리에 있습니다.
이들은 모두 무엇을 바탕으로 일하는 걸까?
음, 그건….
그야 물론 법을 지키기 위해서겠죠.
맞아. 법이야말로 인간의 안전을 보장하는 가장 중요한 도구이자 수단이라고 할 수 있어.
로크는 자연 상태에서 인간을 위협하는 불안들은 자연법이 분명하지 않거나,
내 도끼를 맞고 쓰러진 거라고 했지?
아웅다웅
내 돌도끼가 먼저라고 몇 번이나 얘기해야 해?
몇 페이지나 지나갔는데 아직도 싸우고 있네?
사람들이 자연법에 대해서 잘 모르는 경우에 발생하는 경우가 많다고 보았지.
덜덜
이럴 경우 어떻게 해야 하죠?
낸들….
그것을 보완하고자 여러 사람이 모여서 합의한 결과가 법이라고 했어.
그럼 앞으로 문제가 생기지 않도록, 이런 경우 어떻게 처리해야 할지 확실히 해 놓자고.
좋습니다.
축구 경기를 한번 생각해 볼까?
콰악—

지금 우리는 누구나 축구 경기를 할 때 자연스럽게 즐기잖아.
와아~
이쪽으로 차~
간다!
그런데 그 안에는 많은 규칙들이 존재한단다.
룰이 없는 스포츠란 없죠.
축구규칙
손을 사용하면 안 된다든지
엿차, 막았다.
타앗
뭐얏!
넌 골키퍼가 아니잖아.
선을 넘어가면 안 된다든지
얏호, 여기는 아무도 막는 사람이 없네.
뻑
뭣하는 거얏!
팔꿈치로 가격하면 안 된다든지 하는 것 말이야.
퍽
어이쿠~
그리고 정해 놓은 유니폼 외의 것을 입고 경기를 하는 것도 안 되겠지?
공격!
저 녀석은 뭐야~
뻥
그런 규칙들이 없다면 축구의 재미도 없어지고 위험한 경기가 되어 버릴 거야.
뭐 저런 엉터리들이 다 있어.
퍽
물론 축구가 처음 생긴 영국에서는, 이러한 규칙 없이 즐기다가 시합 중에 사람이 죽는 경우도 있었다고 해.
날 발로 찼어?
정당한 태클이라고~
사람 살려.
이건 스포츠가 아니라 완전히 전투로군.
퍽
퍽
목숨 걸고 축구를 하고 싶지는 않지?
물론이지….

이건 사회도 마찬가지야.
부웅
끼익
끽~
여러 사람이 모여 살다 보면 여러 가지 일이 발생할 수 있고
쾅
으앗~
끼익!
이러한 경우에 갈등과 마찰도 일어날 수 있지.
갑자기 차를 세우면 어떻게 해욧?
안전 거리를 지켰어야지?
그것을 어떻게 해결하는가에 대한 기본적인 내용을 법 안에 분명히 명시해야 갈등과 마찰을 최소화할 수 있는 거야.
도로 교통법에 의하면 이런 추돌 사고의 경우에는….
그렇기 때문에 입법권, 즉 법을 만드는 권리야말로 국가의 가장 중요한 권력이라고 할 수 있단다.
법은 사회 구성원 모두에게 강력한 힘을 발휘하는 것이기 때문이지.
그 사람이 누구든지 법에 의해서 행동해야 한다는 거야.
법
흔들
흔들
으, 으윽….
만약에 왕이라고 해서 법을 지키지 않는다면?
법
투
둑
감히 법의 이름으로 날 구속하려 하다니, 무엄하도다!
사람들은 더 이상 사회를 구성해서 살 필요가 없겠지.
저렇게 법을 무시하고 맘대로 행동하다니.
정말 제멋대로라니까.

사회란 나의 자유와 재산을 보다 안전하게 지키기 위해, 자연 상태에서의 자유를 포기하면서 만든 것인데
웅성 웅성
웅성
법을 지키지 않는 사람이 존재한다면 자연 상태보다 나을 게 없잖아.
그럴 바엔 차라리 사회를 구성하기 전의 옛날이 더 낫다고.
로크는 이러한 주장을 통해 법치주의의 원칙을 이야기하고 있어.
군주라 할지라도 법을 어길 수는 없다는 말이지.
당시의 왕이 들으면 기분 나빴겠지?
제임스 2세
그럼 기분 좋겠어?
그러나 로크는 입법권이 왕보다 먼저임을 여러 차례 강조했단다.
다시 강조하지만….
으익
알았으니까 그만 좀 하라구!!
솔로몬의 재판에 대해서 들어 봤지? 솔로몬은 이스라엘 3대 왕이었는데, 꿈에 나타난 하나님에게 '지혜'를 달라고 했지.
솔로몬의 재판은 솔로몬의 현명함을 강조한 이야기지만
이 아이는 제 아이입니다.
거짓말 하지 마.
앙…
역으로 생각해 보면 어이없는 이야기이기도 해.
척
뭐 어려운 판결도 아니구나.
과인이 사이좋게 그 아이를 나누어 주마.
누구의 아이인지 분명치 않으니 칼로 아이를 잘라서 나누어 주라니 아무리 왕이라 해도 황당한 이야기잖아?
너무 심하잖아.
명백한 아동 학대라고.
이것 봐. 나도 다 생각이 있어서 그런 건데….

하지만 이 이야기는 당시 왕의 권위가 어떠했는지를 분명하게 보여 주는 것이기도 해.
한마디로 왕은 자신의 생각대로 행동하고 말할 수 있고, 그것이 법보다 중요했다는 것을 잘 보여 주는 얘기지.
무서워….
로크 당시의 왕권파들은 솔로몬과 같은 절대 군주의 필요성에 대해 강조했어.
로크는 이것이 잘못임을 보여 주기 위해서 특히 법을 강조했지.
아무리 왕이라도 법 위에 설 수 없소.
영국은 특히 역사적으로 왕과 의회의 갈등과 충돌이 잦았기 때문에
크르르
의회를 옹호하는 로크의 입장에서는 입법권을 강조할 수밖에 없었어.
'입법권' 이라는 글씨는 좀 크게 인쇄해 달라고 할걸.
정부론
대헌장(마그나 카르타) 기억하지?
앞서 얘기했던 이 대헌장은 영국의 왕들에게는 지긋지긋한 족쇄와도 같아.
끙
마그나 카르타
이것 때문에 뭘 할 수가 없어.
그러나 왕의 잘못으로 인해 만들어진 것이기 때문에 어쩔 수 없었지.
그깟 실수 좀 했다고 이런 수모를….
그깟 좋아하시네.
귀족과 도시에 과도한 세금을 매기고
노르망디도 대부분 빼앗기고, 교회와도 맞서고….
실수가 한도 끝도 없구만.

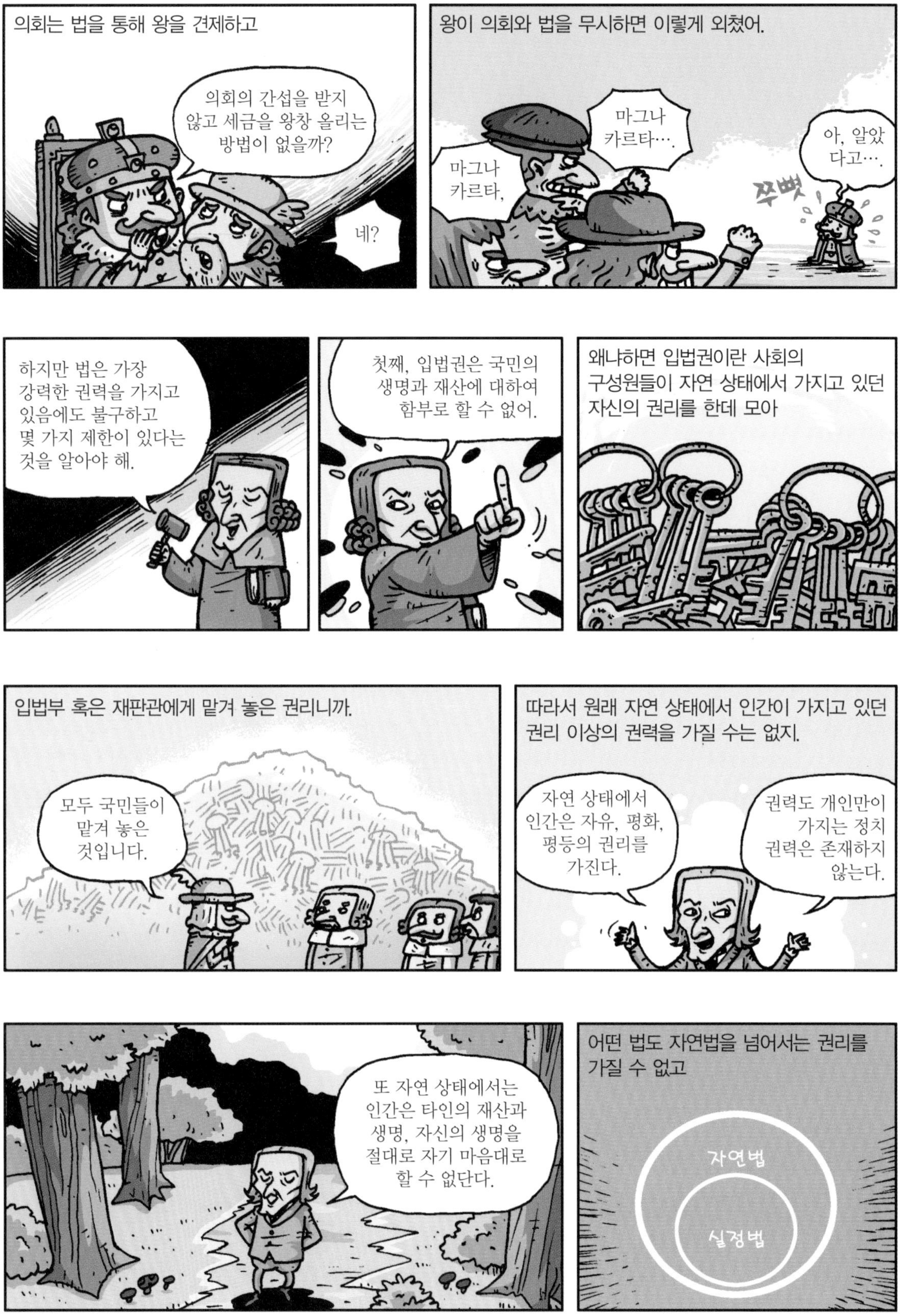
의회는 법을 통해 왕을 견제하고
의회의 간섭을 받지 않고 세금을 왕창 올리는 방법이 없을까?
네?
왕이 의회와 법을 무시하면 이렇게 외쳤어.
마그나 카르타,
마그나 카르타….
쭈뼛
아, 알았다고….
하지만 법은 가장 강력한 권력을 가지고 있음에도 불구하고 몇 가지 제한이 있다는 것을 알아야 해.
첫째, 입법권은 국민의 생명과 재산에 대하여 함부로 할 수 없어.
왜냐하면 입법권이란 사회의 구성원들이 자연 상태에서 가지고 있던 자신의 권리를 한데 모아
입법부 혹은 재판관에게 맡겨 놓은 권리니까.
모두 국민들이 맡겨 놓은 것입니다.
따라서 원래 자연 상태에서 인간이 가지고 있던 권리 이상의 권력을 가질 수는 없지.
자연 상태에서 인간은 자유, 평화, 평등의 권리를 가진다.
권력도 개인만이 가지는 정치 권력은 존재하지 않는다.
또 자연 상태에서는 인간은 타인의 재산과 생명, 자신의 생명을 절대로 자기 마음대로 할 수 없단다.
어떤 법도 자연법을 넘어서는 권리를 가질 수 없고
자연법
실정법

자연 상태의 인간이 누리던 권리 이상을 제한할 수 없어.
법
캬악
잘못하면 사람이 만든 법에 사람이 잡아먹히겠네.
옴짝달싹 못하겠네.
사회를 구성한 목적은 오로지 구성원 개개인의 재산과 생명을 보호하려는 의도이기 때문에
지이잉
도와줘요~
만약 이러한 목적이 지켜지지 않는다면 다시 자연 상태로 돌아가는 것이 더 나아.
둘째, 입법권은 즉흥적이거나 자의적으로 행사되어서는 안 돼.
자연 상태에서의 자유를 포기하고 사회를 구성한 가장 중요한 이유가 자신의 안전과 행복을 위해서라고 이야기했지?
그런데 지배자나 소수의 사람들이 법을 자신의 뜻대로 해석하고
폐하, 그건 법에 위배되는….
어허, 겨우 그런 이유로 짐의 뜻을 막으려 하다니….
자신이 가지고 있는 권력을 자신을 위해서 행사한다면, 더 이상 사회에 속해 있을 이유가 없지.
내 뜻에 맞게 법을 고치면 간단한 일이잖아?
말이 돼?
이렇게 되면 오히려 자연 상태보다 더 위험한 상태가 되어 버리니까.
자연 상태에서는 나를 위협하는 사람과 내가 일대일의 관계에 불과하지만
나와 한번 붙어 보겠다는 거야?

사회를 구성한 후에는 권력을 가진 사람이 나를 위협한다면 방어할 엄두가 나질 않겠지.
POLICE
감히 정부에 대들겠다는 거야?
아무리 지배자라 할지라도 법률에 의해서만 권력을 사용할 수 있는 거야.
내 칼로 사이좋게 그 아이를 나눠…
그렇게 할 수 있는 법적인 근거는 갖고 계신가요?
셋째, 입법권은 그 어떤 사람에게도 재산의 전부 혹은 일부라도 함부로 취할 수 없어.
로크가 가장 중요하게 생각하는 것은 재산의 보존이야.
내가 젠트리 출신인 이유도 있단다.
앞에서도 이야기한 것처럼 자신의 재산을 보존하고자 사회를 만든 것인데
내 재산은 법적으로 보호되고 있다고.
지배자나 강력한 권력을 가진 사람이 나의 재산을 함부로 빼앗는 것이 가능하다면
스윽
하지만 왕은 그 법 위에 존재하지.
뭣?
내돈…
차라리 자연 상태로 되돌아가는 것이 낫다고 생각했거든.
이런 법이 어디 있냐고….
그럼 세금도 안 내야 되는 것 아니냐고?
흥
그것도 나의 재산을 빼앗는 거잖아?
세금 절대로 못 내…
그러나 로크도 세금만큼은 인정하고 있어.
국가를 운영하기 위한 돈이 필요하다는 걸 알고 있었죠.
진작 세금을 냈으면 좋았잖아요.
압류
내 재산을 압류하다니….

분명한 것은 세금을 걷는 것도 반드시 법을 통해서만 가능하다고 못 박았지.
우린 지방세법에 의거해서 정당한 절차를 밟는 것뿐이라고요.
히잉~
즉 구성원들의 동의가 필수라고 했어.
사람들이 자신들에게 불리한 법을 만들지는 않을 테니까 법에 의한 세금은 모두가 동의한 것으로 본 거야.
○○지방국세청
국민과 함께 열린 세정을 펼치겠습니다. 국세청
그리고 마지막으로 넷째, 입법권은 절대로 다른 사람이나 집단에게 넘겨줄 수 없단다.
척
로크가 말하는 입법권이란 사회 구성원들의 권리를 입법권자에게 일시적으로 위임한 것에 불과해.
은행에 돈을 맡기는 것과 다름없죠.
따라서 원래의 주인은 국민들이지.
사람들이 은행에 돈을 맡기지만 원래 그 돈의 주인은 나니까요.
그런데 입법권을 국민이 선출하거나 인정하는 사람이 아닌
스윽~
다른 누군가에게 넘긴다는 것은 말이 안 된다는 거야.
법을 만들 수 있는 권리는 오직 국민만이 가지고 있는 겁니다.
어떤 정부를 만들지, 어떤 형태로 권력을 넘겨줄지에 대한 결정도 국민이 해야 하기 때문이지.
그런 것들을 결정하기 위해 투표를 하는 겁니다.
투표함

의회는 단지 정해진 기간 동안 국민을 대신해서 법을 만들 수 있도록 국민의 권리를 위임받은 것일 뿐
국민의 심부름꾼
저 안으로 들어갈 수 있도록 한 표 부탁드립니다.
의회와 왕이 결탁해서 자기들 마음대로 입맛에 맞는 법을 만든다든지
좋은 게 좋은 거 아니겠어?
크크크
헤헤헤….
더 나아가 법을 만드는 권한을 왕에게 넘길 수는 없는 거지.
좋아요. 저희들에게 적당한 대가를 주시면 법을 만들 수 있는 권한을 넘겨 드리….
어림없는 소리!
그럼 이제 법에 대한 내 생각을 이해할 수 있겠지?
로크가 법의 목적과 성격을 설명하면서 특히 강조한 것은, 법은 국민으로부터 나와야 한다는 거였어.
왕이나 의원들이 아닌….
지배자나 재판관, 혹은 입법부에 속한 사람들도 자신의 임기가 끝나면
다시 국민으로서 법의 지배를 받아야 한다고 생각했지.
내가 누군 줄 알아?
우리나라의 입법을 책임지고 있는 국회의원…
어쨌든 과속하셨으니 벌금을 내셔야 합니다.
법의 성격을 명확히 함으로써 당시 영국의 왕이 저지르는 전횡을 비판하고 있었던 거야.
마그나 카르타, 권리장전, 권리청원 등도 왕의 전횡을 막기 위했던 장치였죠.
법을 무시하거나 혹은 법을 자신에게 유리하게 고치는 왕들이
누… 누가?

버젓이 존재하고 있었던 것에
분개한 것이지.
조지 고든 바이런*
법을 두려워하지 않는 자는 틀림없이 법 때문에 멸망한다.
찌릿
지금은 상상할 수도 없지만 로크의
시대에는 그런 일들이 많았거든.
지금은 물론 그런 일이 없겠지만….
찰스 1세 같은 경우에는 자신이 전쟁을 결정하고
잠깐 생각해 봤는데, 에스파냐와 전쟁을 하는 게 좋겠어.
좀 더 신중하게 생각하시는 게….
전쟁에 필요한 돈을 만들고자 세금을 더 거둘 것을
의회에 요구했어.
도대체 뭐야? 영국에 득도 없는 대외 정책에 국고를 탕진한 데다 무리한 원정까지….
대헌장에 약속된 내용 중 하나였기 때문이지.
여기 적혀 있는 대로 의회에 동의를 요구하는 건데 왜 화를 내고 그래?
뻔뻔도 해라….
전쟁에 반대하던 의회는 당연히 왕의 요구를 거부했지.
의회의 동의 없이는 어떠한 과세도 강제할 수 없고, 법에 의하지 않고는 누구도 체포, 구금되지도 않으며….
그게 뭐야?
'권리청원'이라는 겁니다.
이에 격분한 왕은 의회를 아예 소집하지도
않았어.
다 필요 없어. 난 의회의 도움 따위는 원치 않으니까 몽땅 해산하라고 해.
무려 11년 동안이나 의회는 없는 것과 마찬가지였단다.
한마디로 찰스 1세는 절대 군주가
되고자 했던 거야.
크하하, 앞으로 나를 절대 반지의 주인….
아니 절대 군주라고 불러다오.

*바이런 – 낭만파를 대표하는 영국 시인.

무엇이든 자기 뜻대로 하려고 했고, 자신의 뜻을 따르지 않는 사람들은 무시하거나 힘으로 누르려고 했지.
덜덜
결과적으로 '국민의 적' 으로 낙인찍혀 유럽 최초로 목이 잘린 왕이 되었다오.
로크는 이러한 일을 막기 위해서는 법에 의한 지배가 필요하다고 생각했어.
법
으, 무거워…
로크는 문제의 원인이 절대 군주제에 있다고 봤어.
왕은 곧 신이다.
그래서 입법부가 가장 강력한 권력을 가져야 한다고 생각했고
왕 혹은 지배자도 법에 의해서 제한해야 한다고 생각했지.
그 안에서는 자유롭게 행동하셔도 됩니다.
그리고 명예혁명을 통해서 이러한 로크의 주장이 실현되었어.
1688년 영국에서 일어난 시민 혁명으로 유혈 사태가 없었기 때문에 명예혁명이라는 이름이 붙게 되었죠.
빵
히잉~
왕은 군림하나, 지배하지 않는 존재가 되었고
명예혁명으로 제임스 2세를 내쫓은 뒤, 바로 나오렌지 공 윌리엄(윌리엄 3세)이 토리당과 휘그당의 요청에 따라 영국으로 와 왕이 되었습니다.
의회가 실질적인 권력을 행사하게 된 거지.
윌리엄 3세는 영국 내정을 전적으로 우리 의회에 맡겼답니다.
그리고 의회는 일정 기간이 지나면 선거에 의해 다시 선출됨으로써 권력을 남용하거나 잘못 사용하지 못하게 되었지.

한편 로크는 국가의 권력이 집중되는 것에 대해서 항상 걱정했단다.
"무제한의 권력은 지배자를 타락시킨다." – 영국 정치가 윌리엄 피트.
이는 앞서 얘기했듯, 법을 만드는 사람들이 가지고 있는 권력이 너무 강하기 때문이야.
그래서 법을 만드는 곳, 즉 의회는 상시적일 필요가 없다고 생각했지.
법은 단기간의 연구로 만들어질 수 있기 때문이야.
하하하, 20분도 걸리지 않아서 87개의 법안을 발명했다.
그렇다고 그렇게 대충….
지금 우리나라의 국회도 1년에 정기 국회 100일, 임시 국회 30일 정도로 운영되고 있어.
물론 필요에 따라서 임시 국회를 여러 번 소집할 수도 있지.
우리나라의 임시 국회는 대통령 또는 국회 재적 의원의 4분의 1 이상이 요구 시, 또는 재적 의원 4분의 1 이상이 국정 조사 요구 시 개막됩니다.
그러나 로크의 생각대로라면 법을 만드는 일이 끝나면 국회는 자기 임무를 마치는 거야.
할 일을 다 끝마쳤다. 이제 그만….
아니, 아니, 그것만으로는 부족해.
흥,
법을 만드는 사람들은 일정 기간 후에는 일반 국민으로 돌아가야 해.
왜 꼭 그래야 하지?

왜냐하면 이들이 오랫동안 법을 만드는 일을 하다 보면, 자신에게 유리한 법을 만들려는 시도를 할 수도 있기 때문이지.
잠깐. 생각해 보니 우리가 대단히 큰 권력을 가지고 있는 거였잖아?
왕보다도 더 큰 힘을 가지고 있는 거지.
로크는 또한 그들이 자신들을 법의 제한에서 벗어나도록 노력할 수도 있다고 걱정했어.
낑
낑
다음부터는 이 담장을 좀 쉽게 넘어갈 수 있도록 법을 바꾸자고.
법
좋은 생각이야.
따라서 그들은 일정 기간이 지나면 일반 국민으로 돌아가야 한다고 했던 거야.
그래야만 일반 국민의 입장에서 법을 만드는 일을 할 수 있으니까.
쉽게 말하면 법을 만드는 권한은 서로 돌아가면서 해야만 공정한 법을 만들 수 있다는 생각이지.
앵
앵
고인 물은 쉽게 썩어 버리는 법이죠.
우리나라도 4년에 한 번씩 국회의원을 새로 선출하잖아.
기호 1
어때, 다 듣고 나니 어디선가 들어 본 내용인 것 같지?
어, 정말?
그런데 어디에 나온 내용이지?
그럴 수밖에 없는 것이 로크의 《정부론》은 미국의 헌법을 만드는 데 기초가 되었거든.
미국 헌법뿐 아니라 미국의 독립, 프랑스 혁명에도 영향을 끼쳤죠.
그리고 우리나라의 헌법은 미국의 헌법을 바탕으로 만들어졌어.
우리나라는 1948년 정부 수립과 함께 헌법을 반포했답니다.
따라서 우리나라의 현재 모습이 로크의 생각과 비슷할 수밖에 없단다.

사실 전 세계 대부분의 나라가 공통된 모습이야.
훗훗, 이제 내가 얼마나 대단한 사람인 줄 알겠지?
그렇다면 왕은 법을 따르는 허수아비에 불과한 것일까?
아얏~
콕콕
그렇지는 않아. 법을 만드는 것도 중요하지만, 법을 지키도록 하는 것도 중요해.
탕
바로 법을 지키도록 하는 힘, 그것을 로크는 집행권이라고 말했어.
무법자가 발붙일 곳은 어디에도 없지.
WANTED
$5000
집행권이란 범인을 잡는 행위나
꼼짝 마!
세금을 걷는 행위 등 국가가 일반적으로 행하는 활동들을 말하는 거란다.
로크는 입법권과 집행권 이외에 연합권이라는 권력에 대해서도 언급하고 있어.
연합권이란 국가 간의 협상이나 약속을 할 수 있는 권리를 말한단다.
치즈~
여기서 연합권과 집행권은 전혀 다른 성격의 권력이지.

로크의 생각에 집행권은 국내의 법에 따라 행동하도록 하는 것이고
로마에 왔으면 로마 법을 따르도록~
연합권은 국내의 법에 규정되지 않는 경우가 생길 때 적용하는 법이었지.
국가와 국가 간의 약속이나 협상이기 때문에, 국가 내의 법률을 넘어서는 경우도 생길 수 있기 때문이야.
그래서 종종 불평등 협상이 벌어지기도 한답니다.
사회를 구성하면서 사람들은 자연 상태에서의 자유를 포기하고
이제 우리도 진화해야 해.
사회인이 될 거라고.
이 옷이라는 건 상당히 거추장스럽네…
사회의 법률을 받아들이면서 자신의 안전을 보장받고자 했어.
법을 지키지 않는 사람은 처벌을 받아야 해. 그 때문에 나도 법을 지켜야 하고….
그러나 여전히 자연 상태는 존재해.
그것이 국가와 국가 간의 관계란다.
생각해 봐. 만약 국가와 국가가 싸우면 누구에게 호소하지?
피유웅
투투
쾅
이때 연합권이라는 개념이 등장하는 거야.
로크는 나와 달리 권력을 입법권, 집행권, 연합권으로 나누었습니다.
참고로 나는 입법권, 행정권, 사법권으로 나누었죠.
몽테스키외
연합권이란 국가 간의 협정이 필요할 때 이에 대해 누가 책임지고 협정을 맺을 것인지를 규정해 놓은 것이지.
패전에 대한 책임을 지세요.
크….

연합권에 대해서만은 지배자의 현명함과 신중함에 의지해야만 할 수밖에 없어.
즉 왕 혹은 대통령이 책임지고 자신의 국가가 최대한의 이익을 얻을 수 있도록 노력할 거라는
Good morning!
신뢰를 바탕으로 국민은 지배자에게 연합권을 부여한다는 것이었지.
잘 하고 있겠지?
국가의 권력을 여러 개로 나누고, 그 권력을 누구에게 줄 것인지에 대한 로크의 생각을 이해하겠니?
모락 모락
내가 가장 중요하게 생각한 것은 권력이 집중됨으로써 생길 수 있는 자유와 재산, 생명에 대한 침해를 막는 것이었단다.
그러기 위해서 로크는 권력을 쪼개고 한계를 명확히 하고자 했어.
그거 한 판 다 먹을 수는 없을까?
안 된다니까요~
동시에 사회 혹은 국가를 발전시키기 위해서 필요한 경우에는, 지배자의 판단에 의존할 수도 있다고 생각했지.
흠…
왕의 판단이란 것이 이렇게나 중요한 것이군.
변비?
정리해 보자면 로크는 법을 만드는 권력, 즉 입법권이 가장 중요한 권력이라고 생각했어.
이는 당연한 거야. 사회의 구성원 모두가 따라야 하는 거니까.
국민이든 지배자든 모든 사람은 법을 지켜야 하니까
한 번만 봐 줘. 너무 급해서….
벌금 딱지를 뗄 테니 기한 내에 벌금을 내도록 하세요.
소변 금지

법을 만드는 권력이 최고의 권력이 될 수밖에 없지.
나머지 권력, 즉 집행권과 연합권은 당연히 입법권에 종속되는 겁니다.
뭐야? 그 얘기는 곧 의회가 왕보다 위에 있다는 소리잖아.
그런데 만약 입법권을 가지고 있는 사람들이 자신들의 의지대로 그 권력을 마음대로 행사하려고 하면 어떻게 할까?
붕
붕
마음대로 한번 휘둘러 보자.
이에 대해 로크의 입장은 분명해.
입법권을 가지고 있는 사람들은 이것이 국민들로부터 위임받은 권력이라는 것을 반드시 기억해야 합니다.
알았다고….
원래 권력의 주인은 국민이라는 거지.
귀족들이나 왕, 의회 의원들이 아니라….
따라서 그 권력을 국민을 위해서가 아닌 개인의 사사로운 이익이나
이번에 내가 땅을 샀는데, 땅 값 올리는 데 유리한 법을 만들면….
국회의원 월급을 좀 많이 올렸으면 좋겠는데….
아, 졸려….
배고프니?
소수를 위해 사용하려고 하는 순간, 입법권은 다시 국민에게 돌아간다고 로크는 말했어.
??
어라, 칼날이 어디로 갔지?
즉 입법부의 권한이 사라진다는 말이지.
이럴 경우에는 국민이 다시 입법부를 믿을 수 있는 사람들로 구성해야겠지.
너희들은 이제 자격이 없으니 썩 꺼져~
쓱싹
으아앗.
이는 지배자도 마찬가지야.
어흠.

필요한 경우에는 그에게 대부분의 권력을 주기도 해.
폐하, 원하시는 게 있으시면 이 램프를 문지르십시오.
모든 소원을 들어주는 거인 요정이 등장할 것입니다.
우왓~ 진짜?
물론 사회 전체의 이익을 위해 행동한다는 신뢰를 바탕으로 많은 권력을 행사할 수 있게 하는 거야.
그럴 경우에는 모든 사람이 그의 명령에 복종하는 것이 당연해.
지배자는 지금 우리를 위해 옳은 일을 하고 있는 것이니까요.
그러나 지배자가 사사로운 자신의 이익이나 욕심에 의해 행동하기 시작할 때
국고가 바닥이다. 세금을 왕창 더 거두자.
빵이 없으면 과자를 먹든지….
이러한 복종의 의무는 사라지게 되겠지.
와아—.
프랑스를 망친 루이 16세는 물러나라.
탕
바스티유 감옥으로 가자.
더 이상 지배자로서 인정받지 못해.
결과적으로 세계 최고의 왕권 국가인 프랑스의 왕이 국민들에 의해 목이 잘리게 되죠.
덜
덜
이제 로크가 생각하는 국가의 모습이 머릿속에 그려지나요?
이는 우리가 말하는 민주주의 국가의 이상과 비슷한 모습이야.
와아
나는 국가의 권력은 국민으로부터 나오고, 모든 사람은 법률에 따라 행동하는 그런 나라를 바랐단다.

TWO
TREATISES
OF
Government:
E S S A Y
CONCERNING THE
True Original, Extent, and End
OF
Civil Government.
LONDON,

다수결의 함정

민주주의를 설명하는 가장 중요한 원칙 중의 하나가 다수결의 원칙입니다. 개인의 자유와 평등을 지키기 위해서 국가의 중요한 결정은 다수결에 의해 내려져야 한다는 원칙이지요. 그러나 다수결의 원칙에 모두가 찬성하는 것은 아닙니다. 프랑스 혁명 이후의 유럽은 자유와 평등에 대한 열망이 강해졌고, 토크빌 또한 민주주의에 대한 관심이 높은 사람이었습니다. 그는 9개월간 미국을 여행하면서 미국의 민주주의 제도에 깊은 감명을 받았습니다. 동시에 민주주의 제도 하에서 자유와 평등의 가치가 충돌하면서 생길 수 있는 위험을 경고했는데 이것이 '다수의 횡포' 입니다.

▲프랑스 혁명은 사회 혁명이자 사람들의 자유와 평등에 대한 의지를 일깨운 의식 혁명이기도 했다.

토크빌은 자유와 평등의 가치가 상충하는 경우에 사람들은 평등의 가치를 우선하는 경향이 있다고 보았습니다. 이러한 경향은 불평등한 상황에서의 자유보다는, 예속된 상태에서의 평등을 선호하는 결과를 가져오기도 합니다. 평등에 대한 관심은 개인들이 최대한 이익을 추구하는 모습으로 나타납니다. 경제적 이익을 최대한 추구하기 위해서는 경제적 자유가 보장되어야 하고, 국가의 법적 장치가 필요해지죠. 따라서 사람들은 정치보다 경제에 관심을 집중하고, 정치는 소수의 엘리트에게 맡깁니다.

토크빌은 이것을 개인주의라고 설명하였습니다. 그는 개인주의를 매우 부정적으로 생각했습니다. 각 개인이 경제적 이익을 최대화하는 데에만 관심을 두고 정치에는 무관심해져, 정치가 오로지 경제를 위해 존재하며, 소수의 집단에게 권력을 독점하도록 허용하게 되기 때문이죠. 그러나 개인의 자유에 대한 의식이 없어진 것은 아니어서 권력 독점은 새 방법을 사용해야만 가능합니다.

▲ 토크빌은 《미국의 민주주의》에서 민주주의의 근본은 평등의 열망이라고 주장했다.

여기서 말하는 새 방법이란 '여론'을 의미합니다. 물론 조작된 여론입니다. 자유에 대한 의식이 있는 개인은 일방적 강제나 지시에는 거부 반응을 보이지만 여론으로 포장된 경우에는 관대합니다. 여론이란 다수결의 의미를 담고 있기 때문에 심리적인 안정감을 주며, 쉽게 판단하기 어려운 문제일수록 다수의 결정에 의지하려는 개인들이 많기 때문입니다. 이제 정치는 소수의 집단이 여론을 조작할 능력만 가진다면 무엇이든지 가능한 '민주적 전제 정치'가 가능해진 것입니다.

토크빌이 보기에 이러한 여론 조작에 의한 전제 정치는 민주주의 제도에서 통제할 방법이 없으며, 공익을 추구하는 것은 점점 어렵게 됩니다. 이렇게 되면 소수의 의견은 아무리 정당해도 받아들여지지 않으며, 개인의 정치적 자유는 보장받기 어려워지죠.

여론이라는 이름으로 이루어지는 불합리한 정책이 다수의 결정이라는 이유로 합리적인 소수를 무시하는 경우가 생긴다면 결국 사회는 잘못된 방향으로 나아갈 가능성이 매우 크겠죠. 그래서 현대 민주주의에서는 소수의 권리를 존중하기 위한 보완책을 강조하고 있으며, 투표 방법에서도 다양한 방법들을 모색하고 있습니다. 다수결의 투표 방식으로는 올바른 여론을 반영하기 어렵다는 주장이 늘어나고 있는 까닭이지요. 그래서 결선 투표 방식이나 찬성 투표제와 같은 투표 제도를 시행하는 나라도 있답니다.

제10장 대권에 대하여
로크는 군주의 권력을 제한하는 것이 최선이라고 생각한 것일까?
아니, 반드시 그렇게 생각하진 않아.
그는 '대권'이라는 개념을 사용하면서 군주의 재량권을 인정했어.
법률의 지시가 없이도, 그리고 때로는 심지어 법률을 위반하면서까지도 공공선을 위해서 재량에 따라 행동할 수 있는 권력이 이른바 대권이지.
아무렴.
좋댄다~
공공선이란 개인을 위한 것이 아닌 국가나 사회, 또는 온 인류를 위한 선을 말해.
로크가 군주에게 대권을 인정한 이유는 분명하고 확실해.
그 이유야 당연히 국왕은 신이 선택한….
아얏.
꼬집
그게 아니라, 오직 사회의 공공선을 실현하기 위해서!

긴급한 상황이 생겼을 때 법률을 새로 만들거나 의견을 모으자면 시간이 걸리잖아.
산불이 전국으로 확산되고 있다고 합니다.
그럼 이번 주말에 골프나 치면서 회의 한번 해 봅시다.
이번주에는 좀 바쁘고 다음 주 어때요?
예를 들어 생명이 위험한 사람이 있다고 해 보자.
교통 사고다.
어서 119에 전화 해.
그를 구하기 위해서는 한시가 급한데
빨리
빨리~
+119
그를 실은 차가 꽉 막혀 있는 도로에서 시간을 보낸다면
이런, 빨간 불이잖아?
+119
결과적으로 그는 생명을 잃을 수도 있어.
한시가 급한데….
그럴 때에는 불가피하게 차선을 무시하고 교통 법규를 어겨서라도
애
법보다 사람의 목숨이 먼저다!
애애애앵~
한시라도 빨리 병원으로 가야겠지?
그리고 운전자의 그런 행동은 아무도 비난할 수 없어.
생명을 구하기 위해 한 행동이니까요….
+119

로크가 말하는 대권의 필요성은 바로 이런 거야.
진짜 걱정은 직접 민주주의의 비효율성이란다.
직접 민주주의란 국가 의사의 결정 또는 집행 과정에 국민이 직접 참여하는 제도지?
한 가지 결정을 내리기 위해서 많은 시간을 들여 여러 사람의 의견을 듣다 보면
으이그…
계란은 납작한 부분부터 깨서 먹는 거요.
아니요. 뾰족한 부분부터 깨는 거요.
어떤 경우에는 지나치게 많은 비용이 들거나 기회를 놓치게 될 수도 있어.
이거야 원, 별것도 아닌 일로 몇 년을 싸우는 거야?
그런 경우에는 군주나 지배자의 현명한 판단에 맡기는 것이
삶은 계란을 까는 것은 백성들 마음대로 하여라.
오히려 전체를 위해 좋을 수도 있어.
와아~.
와아~ 이제 더 이상 싸울 필요 없게 됐다.
와
현재와 같이 인구가 늘어난 상태에서는 더욱 이런 고민이 많아진단다.
웅성 웅성
웅성
그래서 현재 지구상의 국가들은 대부분 대의 정치, 즉 간접 민주주의를 실시하고 있는 거야.
국민이 직접 국가의 의사를 형성하지 않고, 그 대표자를 통하여 간접적으로 의사 결정 과정에 참여하고 그에 구속되는 국가 의사 결정의 원리를 말하지요.
국가의 모든 문제를 국민 한 사람 한 사람의 의견을 듣고 결정할 수는 없어.
한강 시민 공원에 이동식 화장실을 더 놓으려는데 어떻게 생각하시는지….
난 찬성이에요.
에이~ 세금 낭비 같은데?

그래서 대부분의 문제들은 전문가나 정치인, 국가의 일을 담당하는 공무원들에게 맡기고
이 일은 내가 최고 전문가지.
아주 중대한 결정이 필요한 부분에만 전 국민의 의견을 묻게 된 거지.
국민 투표를 실시합니다….
하지만 이런 경우를 지나치게 확대 해석해선 **절대** 안 돼.
절대 군주제를 주장하는 사람들은 이러한 경우를 예로 들면서
도대체 왜 일을 번거롭게 하는 거야?
그냥 신의 대리자인 국왕 폐하께 모든 걸 맡기면 되지.
모든 군주에게 막강한 권력을 주어야 한다고 주장하는데, 이는 절대 금물이야.
붕
무소불위(無所不爲)*의 권력을 휘두르자.
이크크~
붕

*무소불위 – 어떠한 것에도 얽매이지 않고 하지 못하는 일이 없음.

로크가 말하는 대권은 통치자에게 당연히 존재하는 권력이 아니야.
아, 물론 나도 현명한 군주가 존재할 수는 있다고 생각해.
현명한 군주란 국민들의 복지와 행복을 위해 노력하는 능력 있는 군주를 의미하지.
내가 이를 딱하게 여겨 새로 스물여덟 자를 만들어 내놓으니.
그리고 현명한 군주는 국민의 신뢰를 받기 때문에 긴급한 판단이 필요한 경우에
에스파냐에서 무적함대를 앞세워 쳐들어 온다는데?
저런….
어떡해.
자신의 판단만으로 결정할 수 있는 재량권을 인정받을 수 있어.
협상은 없다. 우리 영국은 전쟁을 선택했다!
휘익

로크는 엘리자베스 1세와 같은 현명한 군주가 존재할 수 있다고 인정해.
엘리자베스 1세는 영국 국민들의 존경과 신뢰를 받은 훌륭한 왕이었어.
저의 재위 기간이 바로 영국 절대주의의 전성기였죠. 호호….
여왕은 종교 간의 갈등으로 시끄럽던 영국의 안정을 위해 모든 종교에 대하여 포용 정책을 사용했어.
1559년 헨리 8세의 반(反)교황적 법령을 되살린 '수장령' 을 의회에서 통과시켜 로마 가톨릭의 정치적 간섭을 피하기도 했답니다.
흥~
국가의 번영을 위해 심지어 해적을 사령관으로 임명하기도 하고
이제부터 사령관님이라 불러!
와아, 이제 맘놓고 해적질할 수 있겠다.
철썩
철썩
외교 관계에서도 강한 나라들의 압력을 현명하게 피해 나갔던 왕이지.
잉글랜드의 국력이 프랑스나 에스파냐에 한참 못 미치는 건 사실이니까 뭐….
그래서 영국은 강한 나라가 될 수 있었고
결과적으로 국민의 세금도 늘릴 이유가 없었어.
훌륭한 여왕 베스.
국가와 결혼했다 말씀하시더니 역시….
하하
엘리자베스 1세는 매우 검소한 생활을 했던 덕에 나라 살림도 과거와 비교할 수 없을 정도로 좋아졌지.
국고가 꽉 찼어.
엘리자베스 1세야말로 내가 인정하지 않을 수 없는 현명한 군주의 모습을 대부분 갖추고 있었단다.

엘리자베스 1세와 같은 현명한 군주는 자신의 권한을 강력하게 해 달라고 요청할 필요가 없어.
그 이유야 뻔한 것 아니겠어요?
현명한 군주의 통치에 대해 국민들이 믿고 따르게 되고
군주의 결정이 항상 국민들을 편안하고 행복하게 해 준다면
해 뜨면 일하고, 해 지면 쉬고, 우물 파 물 마시고, 밭 갈아 내 먹으니, 임금의 덕이 내게 무엇이 있다더냐.
군주의 권한은 자연히 점점 커지게 될 테니까.
쿠…쿠
파워 업!
실제로 엘리자베스 1세 당시에는 영국 의회가 존재했는지조차 알 수 없을 정도야.
우리나라에 의회가 있었나?
그랬던 것 같기도 하고…
우리 존재가 잊혀졌다.
의회는 왕의 잘못된 정책에 대해 견제하고 감시하는 존재인데
왕이 그럴 만한 틈을 주지 않는다면 의회는 존재가 희미해질 수밖에 없지.
털털
털어도 먼지 하나 안 나오는데?
로크는 현명한 군주가 가지는 재량권, 즉 대권에 대해서는 관대한 생각을 가지고 있었어.
역사적인 경험이 있기 때문에 나도 이렇게 생각할 수 있었지.
로크도 분명히 현명한 군주는 존재한다는 점을 인정했어.
사람들의 안전과 행복을 보장하면서 자신이 가지고 있는 막강한 권력을, 국민들의 복지를 위해 사용할 줄 아는 군주는 분명 존재한다고.
몹시 드물지만서도….

그러나 그 후계자가 항상 현명한 군주라는 보장은 없어.
선왕한테서 어떻게 저런 아들이 태어났지?
아버지의 발끝도 따라가지 못해.
헤헤…
다시 말해서 군주의 권력을 제한하게 된 것은 모든 군주가 잘못되었기 때문이 아니라
이제 의회의 동의 없이 함부로 세금을 걷을 수 없습니다.
덜덜
자신의 사사로운 욕심을 채우고자 권력을 사용한 군주나
헨리 8세
왕비 캐서린과 이혼하고 앤 불린과 결혼하겠다.
앤 불린
절대 허락 못 해.
자신을 신과 같다고 착각한 군주 때문이야.
왕은 신 이외의 것은 책임지지 않는다.
으하하핫!
사람들은 자신들의 행복과 안전을 보장하는 한 군주가 가지고 있는 재량권에 복종할 거야.
당연하지 않겠어요? 그게 훨씬 더 유리한데?
그러나, 필요 이상의 세금을 거두어서 자신의 거처를 호화롭게 꾸미는 군주를 보면
인테리어를 바꿨더니 훨씬 화사해 보이는걸?
폐하, 국고가 이미 바닥을….
당연히 사람들은 무엇인가 다른 방법을 찾게 될 테지.
세금 때문에 온 가족이 굶게 생겼네.
흑흑
자신의 권리를 빼앗기고도 가만히 있는 바보는 없을 테니까.
프랑스 혁명도 그래서 일어났죠.

영국에 엘리자베스 1세와 같은 왕만 있었다면, 로크는 《정부론》을 쓰지 않았을 거야.
하지만 영국의 현실은 그렇지 않았지.
국가의 평화와 번영이 계속되고 왕은 국민의 복지와 행복을 위해 통치한다면
누가 그러한 정부를 비판하고 제도를 바꾸어야 한다고 주장하겠어?
평온~
만약 그런 사람이 있다 해도 아무도 그의 주장을 듣지 않을 테고
빽~
모두 제 말씀 좀 들어 보세요.
그 사람은 외톨이가 되거나 정신이 이상한 사람 취급을 받게 될 거야.
도대체 폐하께 무슨 불만이 그리 많소?
웃기는 소리 하고 있네.
좀 모자란 것 아냐?
불행히도 엘리자베스 1세의 후계자인 제임스 1세는
방탕함과 사치스러운 생활로 인하여 국민들의 불만을 샀어.
게다가 국민들은 나를 술주정뱅이라고 욕하는데, 왜 그러는지 모르겠다고, 딸꾹!
딸꾹
수시로 연회를 열었고
자기 마음에 드는 사람에게는 엄청난 상금을 내리기도 했지.
이 정도는 줘야 쩨쩨하다는 소리를 안 듣지.
우아~ 통도 크시지…
철그럭
지금도 마찬가지지만 영국의 왕실은

국민의 세금에서 매년 많은 돈을 지원받아서 생활하고 있어.
하지만 현재는 국왕과 세자, 세자빈 등 왕위에 직접적으로 연관된 사람들 빼고는 다들 직업이 있답니다.
그런데 엘리자베스 1세는 검소한 생활 덕분에 지원된 돈의 절반도 쓰지 않았어.
두 번 봤더니 입이 좀 짜네….
오히려 남는 돈을 반납할 정도였다니까.
짐이 쓰기에는 너무 많은 돈이다.
세상에, 이런 왕은 처음이야.
검소한 것도 검소한 거지만 식민지 개척으로 막대한 수입을 올려서 국민들에게 세금을 더 물릴 필요가 없었죠.
하지만 제임스 1세는 엘리자베스 1세보다 네 배 이상의 돈을 쓰고도 모자라
벌써 돈이 바닥났다고?
의회에 수시로 돈을 요구했어.
돈 줘~
밑 빠진 독에 물 붓기군.
당연히 국민들의 세금은 늘어날 수밖에 없었지.
에이, 또 감자만 먹어?
살림이 점점 어려워져요.
선왕과는 하늘과 땅 차이군.
국민들은 자신들을 위해 통치하는 현명한 통치자의 권력을 제한할 만큼 어리석지는 않아.
나도 물론 그 점엔 동의한다고.
왜 이랬다, 저랬다야?
현명한 통치자는 스스로 절대 군주가 되려고 했던 것이 아니라
국민들이 믿고 따르면서 절대 군주와 같은 힘을 가지게 되는 거야.
와아
와아

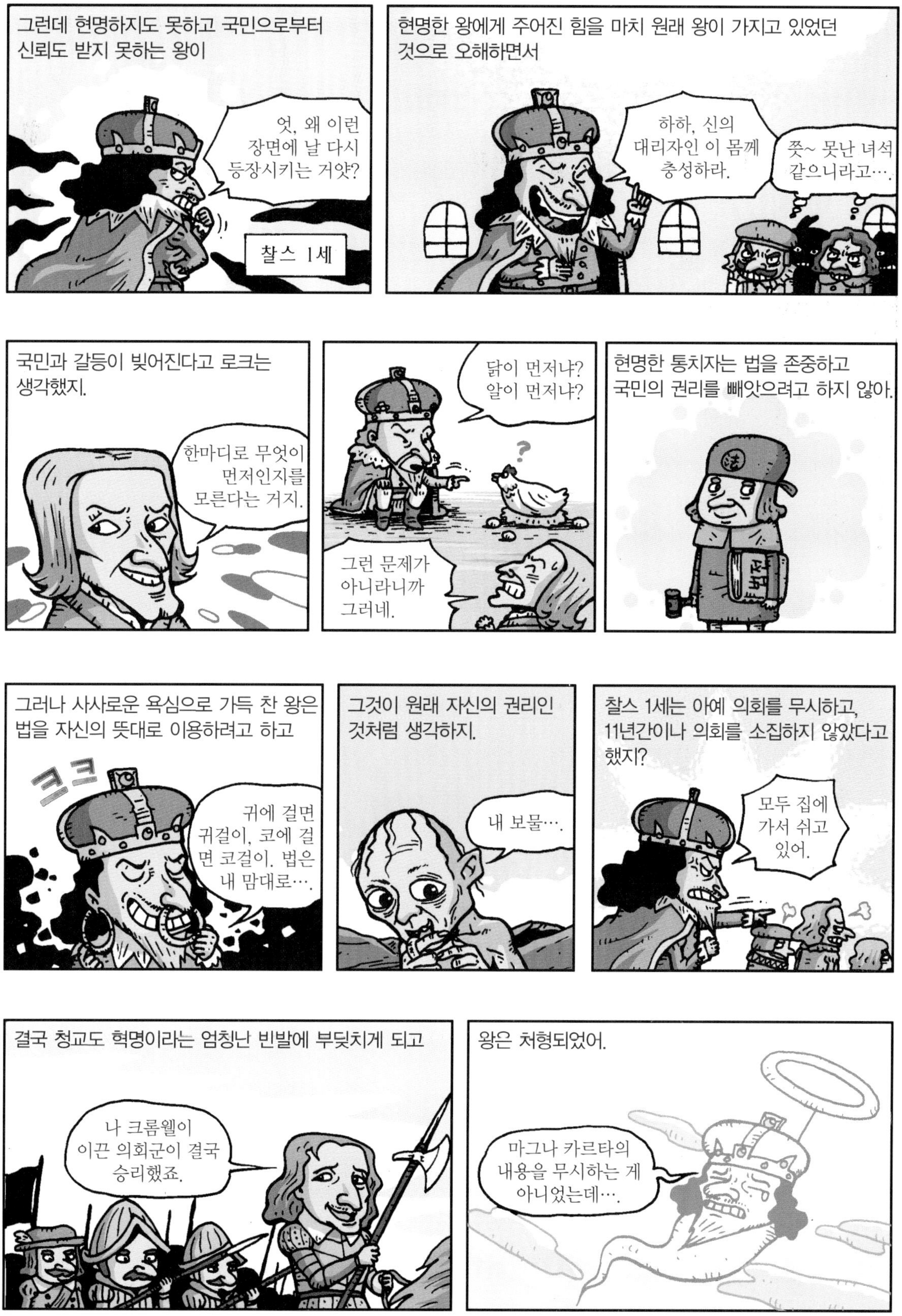
그런데 현명하지도 못하고 국민으로부터 신뢰도 받지 못하는 왕이
엇, 왜 이런 장면에 날 다시 등장시키는 거얏?
찰스 1세
현명한 왕에게 주어진 힘을 마치 원래 왕이 가지고 있었던 것으로 오해하면서
하하, 신의 대리자인 이 몸께 충성하라.
쯧~ 못난 녀석 같으니라고….
국민과 갈등이 빚어진다고 로크는 생각했지.
한마디로 무엇이 먼저인지를 모른다는 거지.
닭이 먼저냐? 알이 먼저냐?
그런 문제가 아니라니까 그러네.
현명한 통치자는 법을 존중하고 국민의 권리를 빼앗으려고 하지 않아.
그러나 사사로운 욕심으로 가득 찬 왕은 법을 자신의 뜻대로 이용하려고 하고
크크
귀에 걸면 귀걸이, 코에 걸면 코걸이. 법은 내 맘대로….
그것이 원래 자신의 권리인 것처럼 생각하지.
내 보물….
찰스 1세는 아예 의회를 무시하고, 11년간이나 의회를 소집하지 않았다고 했지?
모두 집에 가서 쉬고 있어.
결국 청교도 혁명이라는 엄청난 반발에 부딪치게 되고
나 크롬웰이 이끈 의회군이 결국 승리했죠.
왕은 처형되었어.
마그나 카르타의 내용을 무시하는 게 아니었는데….

로크가 말하는 대권은 이처럼 왕의 권리를 인정하면서도, 대권을 가지기 위해서 왕이 어찌해야 하는지 지적한 거야.
대권이란 훌륭한 왕에게 주어지는 보너스와 같은 것이다!
그런데 군주가 자신의 권력을 정당하게 사용하고 있는지
밀사를 보내라!
넵!
아니면 잘못 사용하고 있는지를 누가 판단할까?
이걸 판단할 수 있는 기계가 있다면….
로크는 그러한 판단을 할 수 있는 존재는 지상에 없다고 말하고 있어.
오직 자신의 권리를 빼앗긴 사람들이 하늘에 호소하는 방법만이 남아 있다고 생각했지.
콰 앙
그 벼락을 제가 원하는 사람에게 떨어뜨려 주세요.
원래 자신의 권리였던 것들이 침해받고 있기 때문에
부당하게 세금을 걷고…
군법을 민간인에게 적용시키다니.
그들은 더 이상 복종의 의무도 없어지는 거야.
와아－.
더 이상 참을 수 없다.
와아－.
반란이다.
앞에서도 말했지만 복종의 의무는 오직 지배자나 군주가
툭!
우리를 위해 권력을 행사한다는 믿음이 존재할 때만 생기는 거야.
두 두 두
이런 주장을 한다면 누군가는 걱정하는 사람도 있겠지.
어떻게 걱정이 되지 않겠어요.
사회의 구성원들이 정부에 복종하지 않는다면 사회가 불안정해지고

혼란에 빠져 더욱 나쁜 결과가 오는 것이 아니냐고 말이야.
POLICE
이런 경우에 잘 쓰이는 말이 있지.
소크라테스
악법도 법이다.
원샷!
하지만 내 생각은 소크라테스와는 달라.
로크는 인간 스스로에게도 자신을 파멸시키고 생명을 빼앗을 권리는 없다고 얘기했지.
자살 금지
눈에는 눈, 이에는 이.
꺄오~ 내이빨~
하물며 타인이 나의 정당한 권리나 생명, 재산을 침해할 권리는 누구도 가지고 있지 않아.
입법권이나 집행권을 이용하여 타인의 권리를 침해하려는 시도가 있다면
압류
그것이 법에 의한 것이라도 당연히 거부해야 한다고 로크는 말했어.
들었지? 어디서 남의 집에 함부로 들어와서 내 물건에 압류 딱지를 붙여?
선생께서는 5년이나 세금이 밀려 있다고요.
그렇지만 결국은 혼란에 빠지는 것이 아니냐고?
그건 걱정 안 해도 된단다.
그런 경우는 거의 일어나지 않으니까.
현명한 군주나 지배자는 절대로 이런 일이 발생하도록 하지 않는다고 지적했지?
그리고 사회가 무너지게 되는 것은 누구도 원치 않아.
저런~

다만 잘못된 생각을 가지고 국민과 왕의 이해관계가 다르다고 생각하는 통치자가 존재한다면?
혼란은 불가피할 수밖에….
앞에서 여러 번 강조한 것처럼 국가의 가장 중요한 권력은 입법권이야.
그리고 입법권을 바탕으로 집행권과 연합권이 행사되어야 해.
연합권이란 외교권, 동맹권을 말하는 겁니다.
통치자가 항상 잊지 말아야 할 것은 모든 권력의 목적이 무엇인가 하는 점이야.
권력의 목적은 사회를 구성한 목적과 반드시 일치해야 해!
사회 구성원들은 자신의 행복과 안전을 보장받기 위해서 사회를 구성하고
자신들의 권력을 입법권자나 통치자에게 맡겨 놓았을 뿐이야.
권력
얏호~
따라서 사회는 한 몸과 같고, 모두의 이익, 즉 공공선은 일치해야 하는 거야.
드드드드드
만약 서로 이해관계가 달라지고 통치자나 입법권자가 자신들의 이익만을 생각하고 권력을 잘못 사용한다면
야호~ 스트레스가 확 풀리는걸?
뿅
뿅
뿅
당연히 국민들은 자신들이 맡긴 권력을 되찾아 오려고 할 거야.
다시 이리 내놔.
에이~ 재밌었는데….
척

고양이에게 생선을 그냥 맡겨 둘 사람은 없겠지?
그럼 잘 부탁할게.
야옹~
로크가 보기에는 잘못된 통치를 받아들이는 것이
우와~ 정말 훌륭한 옷입니다.
최고예요.
혼란보다 더 나빠.
뭐예요? 옷을 안 입고 밖으로 나오시다니.
휘익
여러 번 강조했듯이 사회를 구성한 가장 중요한 목적은 자신의 안전과 행복을 보존하기 위해서야.
그런데 사회를 구성한 후에 오히려 자신의 안전이 보장되지 못하고
으르
타인의 욕심에 희생당하면서 살아야 한다면
차라리 사회를 떠나는 것이 낫겠지.
내 생각이 과격한가?
하지만 난 지도자가 어떻게 해야 하는지를 분명히 이야기하고 싶었어.
로크는 그래야만 모두가 함께 구성한 사회가 더욱 안정된 사회가 되고
강한 국가가 될 수 있다고 믿었단다.

영국 의회 민주주의의 역사

영국 의회는 약 750년의 역사를 가지고 있습니다. 영국에서 최초로 의회를 소집하게 된 계기는 '마그나 카르타', 즉 대헌장이었습니다. 대헌장은 1215년 존 왕이 서명한 문서입니다. 존 왕은 자신의 아버지인 헨리 2세나 형인 리처드 1세와는 달리 국민들에게 신뢰를 주지 못했는데, 몇 차례의 전쟁에서 패배하면서 많은 영토를 상실했으며, 그 과정에서 국민들에게 엄청난 세금을 부과한 것이 결정적인 원인이었습니다. 이러한 국민들의 불만을 등에 업고 귀족들이 반란을 일으키자, 결국 존 왕은 귀족들이 요구한 문서, 즉 대헌장에 서명할 수밖에 없게 된 것이었습니다.

대헌장은 귀족들의 요구를 담은 것이었으나, 왕의 권리를 제한하는 내용을 담고 있었기 때문에 영국 의회 민주주의를 발전시키는 첫 단추라고 평가됩니다. 이후 왕과 의회가 충돌할 때마다 의회는 '마그나 카르타'를 외치면서 왕이 자신들의 요구를 들어주도록 압력을 가하였습니다.

그 후 영국 의회가 소집된 것은 1265년이었습니다. 1216년 존 왕이 죽고 그의 아들 헨리 3세가 불과 아홉 살의 나이에 왕위에 오르자 영국 귀족들의 권한은 더욱 강해졌습니다. 그러나 헨리 3세가 점차 성장하면서 왕권을 강화하는 여러 조치들을 시행하자 이 과정에서 귀족들은 시몽 드 몽포르를 중심으로 반란을 일으켰습니다. 시몽 드 몽포르는 반란이 성공한 후 왕의 권한을 제한하기 위하여 영국 최초의 의회를 소집했습니다. 영국 내 각 주와 도시에서 각각 두 명씩 대표를 선출하게 하고, 국가의 중요한 결정을 할 때에는 의회에서 결정하도록 했는데, 이것은 매우 중요한 의미를 가지고 있습니다.

▲ 헨리 3세

영국 이전에도 여러 나라에 의회가 존재했지만, 대부분의 의회는 귀족 중심의 의회였습니다. 그러나 시몽 드 몽포르는 자영업자, 소상인 등 다양한 계층의 사람들이 의회에 진출하도록 함으로써 평등한 의회 민주주의의 구성을 가능하도록 했습니다. 물론 영국 의회가 보다 민주적이 되기 위해서는 아직도 많은 시간이 필요했습니다.

존 왕이나 헨리 3세와 같은 왕은 스스로 귀족과 국민들을 무시하면서 잘못된 정책을 시행하였기 때문에 국민의 반발을 자초한 왕들이었습니다. 그러나 이후의 왕들은 대부분 의회의 존재를 인정하였고, 의회와 갈등하기보다는 협력하면서 영국의 번영과 안정을 이루기 위해 노력했습니다. 헨리 7세나 헨리 8세, 엘리자베스 1세와 같은 훌륭한 왕들이 통치하는 100여 년 동안 왕의 권한이 점차 회복되었고, 의회는 아직 왕의 권한을 견제하기에 힘이 부족하였습니다. 근본적으로 의회는 왕이 요구할 때에만 소집되

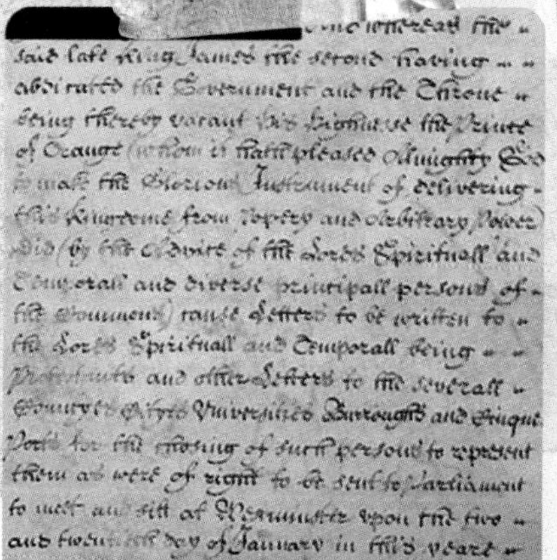
[redacted] whereas the
said late King James the second having
abdicated the Government and the Throne
being thereby vacant His Highnesse the Prince
of Orange (whom it hath pleased Almighty God
to make the glorious Instrument of delivering
this Kingdome from Popery and arbitrary Power)
did (by the Advice of the Lords Spirituall and
Temporall and diverse principall persons of
the Commons) cause Letters to be written to
the Lords Spirituall and Temporall being
Protestants and other Letters to the severall
Countyes Cityes Universities Burroughs and Cinque
Ports for the choosing of such persons to represent
them as were of right to be sent to Parliament
to meet and sitt at Westminster upon the two
and twentieth day of January in this yeare
One thousand six hundred eighty and eight
In order to such an Establishment as that their

▲ 권리장전 원본

는 한계를 지니고 있기 때문에, 왕이 의회를 소집하지 않는다면 아무 일도 할 수 없었습니다.

▲ 헨리 8세

더군다나 영국과 프랑스의 백년전쟁(1337~1453)은 왕권을 강화할 수 있는 계기가 되었습니다. 전쟁으로 인해 의회는 왕과 협력할 수밖에 없었고, 백년전쟁 이후에는 귀족들 내부에서 벌어진 장미전쟁(1455~1485)의 결과 많은 귀족들이 목숨을 잃고 왕을 견제할 수 있는 힘을 잃어버리게 되었습니다.

의회는 힘을 잃었지만 역설적으로 백년전쟁과 장미전쟁으로 인해 영국의 의회 민주주의는 새롭게 발전할 수 있는 계기를 마련했습니다. 사실 대헌장은 귀족들의 요구에 왕이 굴복한 사건이었고, 이후 소집된 의회도 귀족들이 대부분 장악하고 있었습니다. 그러나 백년전쟁과 장미전쟁으로 귀족의 숫자가 줄어들면서 젠트리를 중심으로 한 자영업자와 소상인들이 점차 세력을 확장시킬 수 있었습니다. 장미전쟁 이후 왕위에 오른 헨리 7세는 귀족들을 견제하고자 젠트리 계급 출신들을 지방 관리로 임명해 결과적으로 평민의 의회 진출이 더욱 활발해졌습니다.

▲ 엘리자베스 1세

헨리 7세부터 엘리자베스 1세에 이르기까지 100여 년 동안 영국은 유럽의 강대국으로 성장할 수 있는 기틀을 마련했던 융성기였습니다. 훌륭한 왕이 계속 이어지면서 왕

은 과거의 영광을 다시 찾을 수 있었고, 의회는 무기력하게 명맥을 유지하고 있었습니다. 그러나 엘리자베스 여왕의 후계자로 지명된 제임스 1세는 이전의 왕들과는 달리 사치와 오만에 가득 찬 인물이었습니다. 그는 절대 왕권으로 돌아가고자 시도하였으며 의회와 국민들의 신망을 잃었습니다. 이러한 의회와의 갈등은 아들인 찰스 1세가 통치한 시대에도 계속되었고, 결국 혁명으로 이어졌습니다.

찰스 1세는 아버지와 달리 사치를 즐기지는 않았지만 의회와의 관계는 좋지 않았습니다. 특히 1628년 소집된 의회에서 찰스 1세는 에스파냐와의 전쟁에 필요한 군비를 보충하기 위해 세금을 거둘 것을 요구하였고, 이러한 찰스 1세에 대해 의회는 '권리청원'에 서명하기를 요구하였습니다. 권리청원은 과거 대헌장을 비롯한 여러 차례에 걸쳐 서명된 이전 왕들의 약속을 확인하는 내용이었고, 찰스 1세는 부족한 재원을 마련하기 위하여 의회에 굴복하여 이 문서에 어쩔 수 없이 서명하였습니다. 권리청원은 대헌장, 권리장전과 더불어 영국 민주주의의 기초를 마련한 중요한 문서 중 하나입니다.

▲ 찰스 1세

그러나 찰스 1세는 권리청원에서 약속한 내용들을 실천하지 않았으며, 1629년부터 무려 11년간 의회를 소집하지 않았습니다. 의회를 해산한 찰스 1세는 의회의 지원

없이 국정을 수행하기 위한 여러 조치를 시행하면서 자기 뜻대로 정치를 하였습니다. 그러나 스코틀랜드와의 갈등이 빚어지면서 전쟁을 결정한 찰스 1세는 결국 전쟁을 위한 돈을 마련하기 위해 11년 만에 의회를 소집하였습니다. 여전히 의회는 찰스 1세의 편이 아니었고 오히려 왕의 실정을 비판하였습니다. 이에 분노한 찰스 1세는 3주 만에 의회를 다시 해산하였는데, 이를 '단기 의회' 라고 부릅니다.

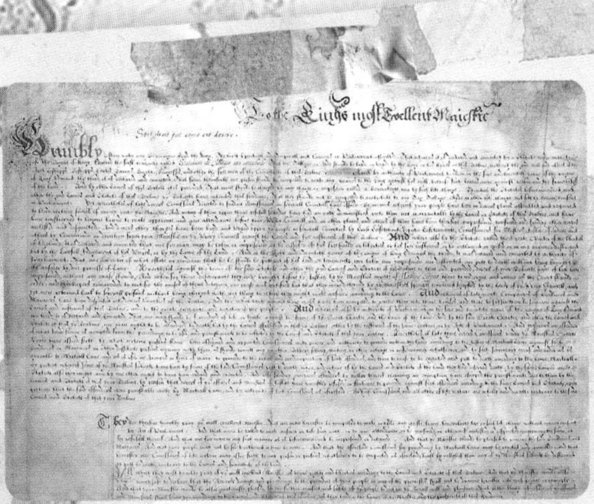
To the Kings most Excellent Maiestie
Humbly

▲ 권리청원

의회의 지원을 포기하고 스코틀랜드와의 전쟁을 강행한 찰스 1세는 전쟁에서 패해, 거액의 배상금을 물게 되었습니다. 이러한 결과는 찰스 1세를 더욱 곤경에 빠뜨렸고, 찰스 1세는 다시 의회를 소집할 수밖에 없었습니다. 이것이 '장기 의회' 의 시작입니다. 무려 12년간 계속된 장기 의회는 올리버 크롬웰의 청교도 혁명으로 이어졌습니다.

장기 의회가 열리면서 의회를 장악한 청교도들은 찰스 1세의 청교도 탄압 정책을 비판하였고, 1642년 의회 지도자들을 체포하려고 시도한 찰스 1세에 대항하여 군대를 조직하고 전쟁을 시작했습니다. 이 과정에서 청교도이자 젠트리 출신인 올리버 크롬웰이 조직한 철기병의 활약 덕분에 크롬웰을 중심으로 한 의회파는 왕권 강화를 주장한 찰스

1세와 왕당파에 승리하였고, 찰스 1세는 처형당했습니다.

청교도 혁명은 영국 역사상 전무후무한 공화정을 탄생시켰고, 크롬웰은 호국경에 올랐으나 청교도 혁명은 크롬웰의 죽음과 함께 끝나고 다시 왕정이 시작되었습니다. 그렇지만 왕의 권위는 이미 이전의 것과 비교할 수 없을 만큼 무너졌으며, 청교도 혁명 이후 의회는 왕보다 우위에 서게 됩니다.

크롬웰 사후 영국은 찰스 2세가 왕위에 올라 왕정이 다시 시작되었지만 이미 과거의 신과 같은 존재로 돌아갈 수는 없었습니다. 그럼에도 불구하고 찰스 2세와 다음 왕인 제임스 2세는 가톨릭을 옹호하면서 왕권 강화를 노렸고, 결국 '명예혁명'이 일어나게 되었습니다. 명예혁명은 영국의 입헌 군주제, 즉 '왕은 군림하되 지배하지 않는다'는 전통을 만든 사건입니다. 전쟁이 없었으며 피 한 방울 흘리지 않고 이루어진 혁명이라 '명예혁명'으로 불립니다. 찰스 2세의 뒤를 이은 제임스 2세는 가톨릭에 대한 옹호, 왕권 강화 시도, 의회를 무시하는 태도로 국민들의

▲조지 1세

신뢰를 잃고, 마침내 자신을 지지하는 왕당파(토리당)마저 등을 돌리게 만들었습니다. 의회에서는 네덜란드의 윌리엄 공을 다음 왕으로 선포하게 되었습니다.

명예혁명으로 의회는 윌리엄에게 새로운 권리청원을 제출하여 승인받았고, 이것이 '권리장전' 입니다. 권리장전은 법으로 선포되었으며, 이로써 영국은 의회가 중심이 되는 입헌 군주제 국가로 완성되었습니다.

그 후 하노버 출신의 조지 1세가 즉위하면서 영국은 수상이 통치하는 의회 민주주의 국가가 되었습니다. 조지 1세는 독일 출신으로 의사소통마저 불가능한 상황이었고, 따라서 국가 통치가 불가능했기 때문에 국왕의 모든 권력을 의회에게 넘겨주었습니다. 대헌장 이후 500여 년에 걸친 왕과 의회의 대결은 결국 의회의 승리로 끝났으며, 영국은 세계에서 가장 먼저 근대 민주주의가 자리 잡을 수 있었습니다.

영국 의회 민주주의 연표

1215년	마그나 카르타 선포	존 왕의 실정과 귀족의 반발을 통해 이후 의회 민주주의의 초석이 된 대헌장 선포.
1265년	최초의 의회 소집	시몽 드 몽포르, 영국 최초의 의회 소집.
1337~1453년	백년전쟁	영국의 에드워드 3세와 프랑스의 필리프 6세 사이에 시작된 전쟁 → 영국 패배. 영국 왕의 권한이 약화됨.
1455~1485년	장미전쟁	영국의 요크 가문과 랭커스터 가문 사이의 내전. → 요크 가문 승리. 영국 내 귀족 간의 전쟁 → 귀족 숫자가 줄어들고 젠트리의 성장을 가져옴.
1485년	튜더 왕조 등장	장미전쟁의 승자인 헨리 튜더가 즉위. 이후 118년간 지속. 헨리 7세, 헨리 8세, 에드워드 6세, 메리 여왕, 엘리자베스 1세 여왕 등 훌륭한 왕들이 계속되어 영국의 정치적 안정이 이루어지고 왕권이 의회보다 강력해짐.
1603년	제임스 1세 즉위	왕권신수설을 통한 왕권 강화 시도, 의회와 대립.
1628년	권리청원	찰스 1세, 많은 권리가 왕으로부터 의회로 옮겨지는 제1보로서의 의미를 지님.
1640년	단기 의회 장기 의회 청교도 혁명	찰스 1세 처형. 올리버 크롬웰에 의해 영국 최초이자 마지막 공화정 등장.
1688년	명예혁명	제임스 2세에서 윌리엄 공으로 왕위 이양. 휘그당과 토리당의 입헌 군주제의 시작.
1689년	권리장전	윌리엄 공, 입헌 군주제를 법률로 선포.
1714년	하노버 왕조 시작	조지 1세 즉위. 수상을 통한 통치. 왕은 정치에서 완전히 물러남.

존 로크 정부론

이근용 글 | 주경훈 그림

01 다음 중 《정부론》을 쓴 사람은 누구일까요?

① 홉스 ② 로크 ③ 애덤 스미스
④ 루소 ⑤ 헤겔

02 로크의 정치적 후원자이자, 휘그당의 지도자였던 사람은 누구일까요?

① 퍼거슨 ② 그레고리오 ③ 샤프츠버리
④ 루터 ⑤ 칼뱅

03 다음에서 설명하는 것은 무엇일까요?

- 왕의 권력은 신으로부터 받은 절대적인 것이다.
- 왕권은 한 집안의 아버지가 가지는 권력과 같은 것이다.

① 천부인권설 ② 인민주권론 ③ 권력분립론
④ 왕권신수설 ⑤ 제정일치설

04 로크와 달리 자연 상태를 '만인의 만인에 대한 투쟁 상태'라고 주장한 영국의 정치학자는 누구일까요?

① 벤담 ② 홉스 ③ 찰스 ④ 제임스 ⑤ 밀

05 다음에서 설명하는 사람들을 이르는 말은 무엇일까요?

- 칼뱅이 이끄는 교회개혁 세력
- 직업 소명설
- 엄격한 도덕적 의무를 준수함

① 청교도 ② 성공회 ③ 보수당
④ 노동당 ⑤ 십자군

06 로크는 정부의 형태를 크게 군주정과 '이것'으로 나누었습니다. '이것'은 무엇일까요?

① 과두정 ② 공화정 ③ 연합정
④ 세습정 ⑤ 군정

07 다음에서 공통으로 설명하는 정치집단은 무엇일까요?

- 왕의 절대권력을 부정했다.
- 의회의 권리를 강조했다.
- 원래는 스코틀랜드의 말도둑을 일컫는 말에서 유래되었다.

08 로크는 인간의 소유권을 누구도 침범할 수 없는 권리라고 생각했습니다. 특히 소유권은 '이것'을 통해 생기는 것이라고 생각했는데, 자신이 원하는 무엇인가를 얻기 위해 인간이 하는 모든 행위를 가리키는 이것은 무엇일까요?

---

09 영국에서 왕의 권력을 제한하고자 1215년에 만들어진 것으로 의회 민주주의를 발전시키는 뿌리가 되었던 이 문서는 무엇일까요?

---

10 로크는 루소, 몽테스키외와 함께 사회계약론 삼총사로 불립니다. 인간이 사회를 구성하게 된 이유는 세 사람이 조금씩 차이가 있는데, 로크는 인간이 사회를 구성하게 된 가장 중요한 이유를 무엇이라고 설명할까요?

---

07 휘그당 : 영국 양당정치의 근본이었던 토리당과 휘그당은 원래 서로를 비난하는 데에서 이름이 유래되었습니다. '토리'는 불법적인 가톨릭교도를 일컫는 말이며, '휘그'는 스코틀랜드의 말도둑을 부르는 말이었습니다.
08 노동 : 노동을 통해 모은 재산을 누구도 침범할 수 없다는 로크의 생각은 오늘날 신자유주의의 근본이 되었습니다.
09 마그나카르타 혹은 대헌장
10 인간이 자연 상태에서의 자유를 포기하고 사회를 구성하게 된 가장 큰 이유는 자신의 안전과 생명을 보장받고, 자신의 재산을 보존하기 위해서입니다.

정답

01 ② / 02 ③ / 03 ④ / 04 ②

05 ① : 로크의 부모는 독실한 청교도였으며, 로크는 어린 시절 부모의 영향으로 평생 청교도적인 생활 태도를 가지게 되었습니다.

06 ② : 과두정은 소수의 귀족들에 의한 통치를 말하는 것이며, 세습적이란 왕위를 자신의 자식에게 물려주는 정부 형태를 말합니다.

자연 상태에 대한 다양한 시각

로크는 자연 상태에서 개인들은 자유롭고, 평등하며, 독립적이라고 했습니다. 자연 상태에서 개인은 자연법에 의한 규제에 저촉되지 않는 한 자신들이 원하는 대로 할 수 있다고 했지요. 개인 소유물을 마음대로 처분할 수 있고, 자신의 권리를 침해하는 타인에 대항해 자신을 방어할 수도 있습니다. 이러한 개인의 자유와 권리가 침해받게 되면 전쟁 상태가 된다고 보았지요.

루소 역시 자연 상태를 평화로운 것으로 보았습니다. 루소는 인간은 선하게 태어난다는 성선설의 관점을 가지고 있어, 모든 인간은 합리적인 존재로 태어나 욕심을 부리지 않고 조화를 통한 질서를 유지하는 존재라고 보았습니다. 따라서 마을 공동체와 같은 작은 집단 안에서 구성원들이 직접 민주정을 통해 정치를 해 나가는 것이 바람직하다고 보았습니다.

이 두 사람과 달리, 홉스는 인간의 자연 상태는 곧 전쟁 상태라고 보았습니다. '만인의 만인에 대한 투쟁'이라는 유명한 말에서 보듯, 인간은 자연 상태에서 서로에게 공격을 하거나 공격 의사를 가지고 있다고 하였지요. 그래서 이러한 무질서 상태를 벗어나기 위해 국가가 계약을 바탕으로 만들어졌다는 국가 계약설을 주장한 것입니다.

통합교과학습의 기본은 세계사의 이해,

세계대역사 50사건

제대로 알차게 만든 교양 세계사 만화!
우리 집 최고의 종합 인문 교양서!

★서양사와 동양사를 21세기의 균형적 시각에서 다룬 최초의 역사 만화
★세계사의 핵심사건과 대표적 인물을 함께 소개해 세계사의 맥락을 짚어 주는 책
★시시각각 이슈가 되는 세계사 정보를 지식이 되게 하는 재미있는 대중 교양서

1. 파라오와 이집트
2. 마야와 잉카 문명
3. 춘추 전국 시대와 제자백가
4. 로마의 탄생과 포에니 전쟁
5.석가모니와 불교의 발전
6. 그리스 철학의 황금시대
7. 페르시아 전쟁과 그리스의 번영
8. 알렉산드로스 대왕과 헬레니즘
9. 실크 로드와 동서 문명의 교류
10. 진시황제와 중국 통일
11. 카이사르와 로마 제국
12. 로마 제국의 황제들
13. 예수와 기독교의 시작
14. 무함마드와 이슬람 제국
15. 십자군 전쟁
16. 칭기즈 칸과 몽골 제국
17. 르네상스와 휴머니즘
18. 잔 다르크와 백년전쟁
19. 루터와 종교개혁
20. 코페르니쿠스와 과학 혁명
21. 동인도회사와 유럽 제국주의
22. 루이 14세와 절대왕정
23. 청교도 혁명과 명예혁명
24. 미국의 독립전쟁
25. 산업 혁명과 유럽의 근대화
26. 프랑스 대혁명
27. 나폴레옹과 프랑스 제1제정
28. 라틴 아메리카의 독립과 민주화
29. 빅토리아 여왕과 대영제국
30. 마르크스_레닌주의
31. 태평천국운동과 신해혁명
32. 비스마르크와 독일 제국의 흥망성쇠
33. 메이지 유신 일본의 근대화
34. 올림픽의 어제와 오늘
35. 양자역학과 현대과학
36. 아인슈타인과 상대성 원리
37. 간디와 사티아그라하
38. 마오쩌둥과 중국 공산당
39.대공황 이후 세계 자본주의의 발전
40. 제2차 세계 대전
41. 태평양 전쟁과 경제대국 일본
42. 호찌민과 베트남 전쟁
43. 팔레스타인과 이스라엘의 분쟁
44. 넬슨 만델라와 인권운동
45. 카스트로와 쿠바 혁명
46.아프리카의 독립과 민주화
47. 스푸트니크호와 우주 개발
48. 독일 통일과 소련의 붕괴
49. 유럽 통합의 역사와 미래
50. 신흥대국 중국과 동북공정
★가이드북

김창회 외 글 | 진선규 외 그림 | 232쪽 내외